SANS EXPÉRIENCE PRÉALABLE

Techniques de retouche de la photo numérique

Patrick FABRE

ALISS
INFORMATIQUE

aliss_online@yahoo.fr

Ce livre mentionne des noms de produits qui peuvent être des marques déposées ; toutes ces marques sont reconnues.

ALISS Multimédia n'est liée à aucun constructeur. Nos auteurs et nous-mêmes faisons tout notre possible pour réaliser et produire des livres de qualité, afin qu'ils vous apportent toutes les satisfactions que vous êtes en droit d'en attendre. Cependant, ALISS Multimédia ne peut assumer de responsabilité ni pour l'utilisation de ce livre, ni pour les contrefaçons de brevets ou atteintes aux droits des tierces personnes, qui pourraient résulter de cette utilisation.

Si vous avez des remarques à formuler, ou si vous souhaitez simplement e-communiquer, vous pouvez nous contacter par e-mail à l'adresse suivante :

aliss_online@yahoo.fr

Si notre auteur vous a communiqué sa propre adresse e-mail dans ce livre, c'est que vous pouvez le joindre, aussi n'hésitez pas.

© ALISS Multimédia 2002 ISBN : 2-84782-013-2

Table des matières
Table des matières

Partie 2   Techniques de sélection

Partie 3   Calques et compositing

Partie 4   Techniques de précision

Introduction

Introduction

Lorsque vous découvrez la photographie numérique, vous découvrez généralement aussi l'univers du traitement numérique des images. Cet aspect est au moins aussi important que celui de la prise des clichés. Pour créer de belles images, deux techniques doivent donc être maîtrisées : vous devez savoir vous servir de votre appareil photo et vous devez savoir manipuler les outils logiciels qui vous permettront de traiter vos images.

Les logiciels d'édition d'images proposent une palette commune d'outils. En outre, les techniques de retouche des photographies numériques sont les mêmes pour toutes les applications, car elles dépendent des données des images et non de l'outil que vous utilisez. Plus que dans tout autre domaine, ce n'est donc pas la sophistication de votre équipement qui déterminera la qualité de votre travail. Pour rendre à une image sa luminosité naturelle, pour restituer une coloration ternie par un effet d'éclairage ou pour faire disparaître l'éclat rouge des pupilles dans un portrait de famille, vous devrez connaître les principes de fonctionnement des images numériques, afin d'exploiter à bon escient les fonctions de traitement qui vous sont proposées par vos outils.

Dans ce livre, nous nous sommes donné pour objectif de vous faire comprendre les mécanismes essentiels de la photographie numérique, étape par étape, en tenant compte avant tout des aspects pratiques auxquels vous serez confronté lorsque vous manipulerez vos images.

Ce livre se décompose en quatre parties, qui marqueront les différentes phases de votre apprentissage des techniques de retouche. Dans la première partie, nous aborderons les principes de l'imagerie numérique, afin de vous faire comprendre la mécanique des images. Nous opérerons également nos premiers traitements des photos, en travaillant d'abord sur l'équilibre des niveaux de luminosité, le flou et la netteté.

La deuxième partie du livre est entièrement consacrée aux techniques de sélection, l'un des aspects techniques les plus importants pour le travail sur les images. Vous apprendrez à créer simplement et rapidement des sélections aux formes complexes. Vous découvrirez aussi des techniques de sélection partielle, d'adoucissement des contours et de masquage.

La troisième partie du livre a pour but d'étendre le champ de vos possibilités d'intervention, en vous faisant découvrir le mécanisme des calques. Vous serez alors à même d'exploiter un grand nombre d'outils et de techniques qui nécessitent que vous décomposiez vos images en plusieurs versions superposées les unes aux autres.

La dernière partie du livre vous initiera à des techniques que l'on pourrait apparenter à des interventions chirurgicales : vous travaillerez sur les images à fort grossissement, en manipulant un à un les pixels qui les composent afin de recomposer des zones endommagées ou de parfaire des effets de texture.

Au terme de cette lecture, vous aurez non seulement acquis des connaissances pratiques que vous pourrez immédiatement appliquer à vos photos, mais également un savoir plus théorique, qui vous permettra d'élaborer vos propres méthodes et d'inventer des astuces de traitement adaptées à la particularité de vos images.

Aucune image ne ressemble à une autre et chacune nécessite qu'on la traite en tenant compte des motifs qui la composent. Les techniques de retouche ne correspondent donc pas à des recettes que l'on pourrait appliquer de manière uniforme. Elles doivent être combinées, enrichies et modifiées pour s'adapter aux différents cas de figure qui peuvent se présenter. Les exemples et les explications de ce livre vous auront fait découvrir un certain nombre de techniques classiques auxquelles on fait fréquemment appel. A vous d'en élaborer des variantes et d'en compliquer la logique, bref, d'en exploiter toutes les ressources. A vos photographies !

Remerciements

Nos remerciements vont à Cathy, Vincent, Gilles et Françoise pour leurs photographies qui ont servi à illustrer ce livre...

Et bienvenue à Hannah...

Partie

1

Traitement global de l'image

Chapitre 1

Les bases de l'imagerie numérique

Les chapitres de cette première partie ont pour but de vous familiariser avec l'univers de l'imagerie numérique. Avant même de commencer à manipuler vos images, vous devez connaître le principe de leur fonctionnement. Dans ce premier chapitre, nous considérerons les deux aspects les plus élémentaires de la structure des images numériques : les pixels et les couches de couleur. Cette étape préliminaire est incontournable : toutes les opérations de retouche que vous opérerez, même avec les outils les plus simples, nécessitent que vous connaissiez ces principes fondamentaux.

La retouche des photos numériques ne doit pas nécessaire-ment être un exercice particulièrement technique, mais quel-ques données théoriques sont incontournables. En fait, plus vous aurez de goût à comprendre les mécanismes mis en œuvre lors de la représentation numérique des images, plus vous aurez de liberté et de facilité pour réaliser vos retouches.

Nous commencerons donc par aborder les notions de pixels, de résolution, de taille et de rééchantillonnage, avant de présenter le système de fonctionnement des couleurs. Toutes ces informations techniques sont relativement simples. Dans le chapitre suivant, nous nous trouverons ainsi armés de suffisamment de connaissances pour aborder la question de la numérisation des images (autrement dit, la manière d'acquérir des photographies au format numérique, par exemple avec un scanner ou en important les photographies prises avec un appareil photo numérique). Nous présenterons également rapidement les logiciels avec lesquels vous pourrez travailler.

Dans le chapitre 3, nous passerons directement à la question des formats d'image — un sujet qu'il convient de maîtriser bien avant de vous amuser avec vos photographies, sans quoi vous risquez de les endommager sans le vouloir !

C'est au chapitre 4 que nous commencerons véritablement à manipuler les images, en apprenant d'abord à en contrôler la luminosité et le contraste — les premiers paramètres sur lesquels vous travaillerez lorsque vous traiterez vos photos.

Dans le chapitre 5, nous nous occuperons de la netteté et du flou dans les photographies, puis nous présenterons les filtres de manière générale.

Enfin dans le chapitre 6, vous apprendrez à opérer vos premières manipulations non linéaires (autrement dit, à traiter différemment les différents pixels de l'image, au lieu de leur appliquer le même réglage à tous), en intervenant sur le facteur gamma et les niveaux de luminosité.

Au terme de ces six premiers chapitres, vous vous serez familiarisé avec les principes les plus généraux du traitement des images. La prochaine étape s'ouvrira avec la deuxième partie du livre, entièrement consacrée aux techniques de sélection. Après avoir traité vos images comme un tout, vous aborderez ainsi des techniques plus avancées qui nécessitent de délimiter des zones précises au sein de vos photographies.

1.1 Les pixels et la taille des images

Les images numériques sont composées de pixels, c'est-à-dire de petits carrés de couleur qui s'allument à l'écran et dont le damier multicolore compose le motif de l'image.

En agrandissant fortement une image numérique, on peut faire apparaître les carrés (pixels) qui la composent :

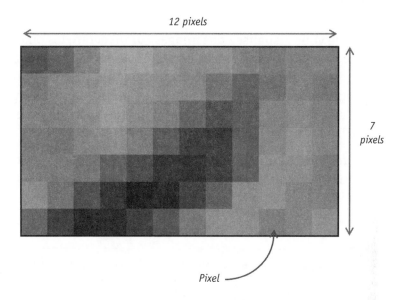

Le fragment d'image que nous venons de présenter est une grille composée de 12 pixels en largeur contre 7 en hauteur. C'est ainsi que l'on définit la *taille* des images : en indiquant leur nombre de pixels en largeur et leur nombre de pixels en hauteur. Cette minuscule image fait donc 12 × 7 pixels. Elle est constituée en tout de 84 pixels.

note

On ne dit pas « 12 × 7 pixels carrés » pour désigner la taille d'une image, comme on parlerait de « mètres carrés » au sujet des surfaces mesurées en mètres, car les pixels sont justement des carrés ! Une image de 100 × 200 pixels est simplement une image rectangulaire composée de 20 000 pixels et dont la proportion de largeur et de hauteur est de 1/2.

Lorsque vous visualisez des images sur un écran, les pixels qui s'affichent sont en fait très petits et ne se remarquent pas. C'est ce principe d'illusion qui commande la représentation des images numériques : lorsque les pixels sont trop petits pour être aperçus, c'est le motif de l'image qui s'impose et non la grille de carrés qui la constitue.

Les reproductions photographiques de la page de droite montrent ce mécanisme : plus l'image est agrandie, plus les carrés qui la composent se remarquent.

note

Le principe est le même à l'écran et sur papier, les images imprimées étant elles aussi constituées de points (au lieu de lumière, il s'agit d'encre).

Toutefois, l'effet obtenu n'est pas exactement le même, car les pixels lumineux de l'écran sont plus diffus et n'ont pas besoin d'être aussi petits pour ne pas se deviner. On constate en général que pour obtenir une belle qualité d'image sur papier, les points doivent être environ trois fois plus petits que les pixels n'ont besoin de l'être à l'écran.

Image à 100 %

Zoom × 5

Zoom × 25

1.2   Résolution d'affichage

Comme nous venons de le voir, la taille des images numériques s'exprime en pixels et donc de manière fixe. Il est ainsi important de distinguer la taille d'affichage d'une image (sa taille physique lorsque vous l'observez) et sa taille réelle (sa taille numérique, exprimées en pixels et qui ne change pas).

Une image de 100 × 200 pixels peut être imprimée à la taille que vous souhaitez. Sur une feuille de papier, vous pourrez faire en sorte qu'elle atteigne 10 centimètres sur 20 ou qu'elle soit réduite à 1 centimètre sur 2. Dans le premier cas, 10 pixels seront imprimés pour chaque centimètre de papier. Dans le second, 100 pixels seront imprimés par centimètre. La densité avec laquelle les pixels sont regroupés lorsque l'image est affichée (sur écran ou sur papier) définit la *résolution* d'affichage de l'image. Plus la résolution est haute, plus les pixels sont petits et plus la qualité d'affichage est élevée.

Pour exprimer la résolution des images, on utilise une autre unité de mesure que le centimètre : le pouce, qui équivaut à 2,54 cm. La résolution d'impression d'une image s'exprime en points par pouce (ppp) et sa résolution d'affichage sur écran en pixels par pouce (ppp également).

L'image présentée dans la page de droite possède une taille de 640 × 480 pixels. Selon la résolution d'impression que nous choisissons d'utiliser (144 ppp dans le premier cas et 300 ppp dans le second), sa taille physique est changée. Lorsque l'on double la résolution d'affichage (photo du bas), l'image devient quatre fois plus petite.

L'image du bas est donc quatre fois plus précise (les pixels sont imprimés quatre fois plus petits) que celle du haut.

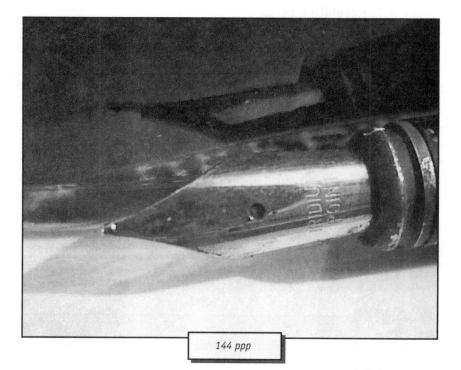

144 ppp

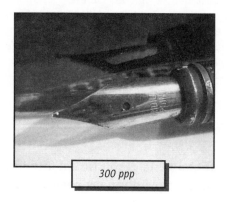

300 ppp

1.2.1. **Résolution écran**

L'écran de votre ordinateur possède également une résolution d'affichage, qui est fixe. Cette résolution dépend du nombre de pixels affichés (les choix les plus classiques étant 1 024 × 768 pixels ou 800 × 600 pixels) et de la taille physique de l'écran. Ainsi, un écran 15 pouces qui affiche le même nombre de pixels qu'un écran 19 pouces possède une résolution d'affichage plus haute, car un nombre équivalent de pixels est regroupé sur une surface plus petite. Le plus souvent, la résolution des écrans varie entre 70 et 100 pixels par pouce, selon ces différents facteurs. La résolution d'affichage sur écran des images avoisine donc les 100 ppp, tandis qu'on opte le plus généralement pour une résolution de 300 ppp à l'impression.

attention

Tout ce qui s'affiche à l'écran s'affiche sous forme de pixels. Ce qui complique un peu l'affaire, c'est que les pixels sur votre écran ne correspondront pas forcément toujours à ceux de votre image. En fait, ce n'est le cas que lorsque l'image est affichée à 100 % (ou à taille réelle). Dans ce cas, un pixel de l'écran est utilisé pour afficher un pixel de l'image. En revanche, lorsqu'un autre niveau de zoom est utilisé, les pixels de l'image sont approximativement reproduits, soit en utilisant plusieurs pixels de l'écran pour reproduire chaque pixel de l'image (zoom supérieur à 100 %), soit en utilisant un seul pixel de l'écran pour reproduire plusieurs pixels de l'image (zoom inférieur à 100 %).

1.2.2. **Taille d'affichage**

La taille d'affichage, la résolution d'affichage et la taille des images sont donc trois données liées. Pour une taille d'image donnée (en pixels), plus vous utiliserez une résolution d'impression élevée (afin de garantir sa qualité d'affichage), plus vous rendrez l'image petite. Dans l'absolu, la qualité de vos images dépend donc du nombre de pixels qui les composent. Si vous souhaitez imprimer une image de la taille d'un poster, il faudra qu'elle soit constituée d'un très grand nombre de pixels, sans quoi ces derniers seront excessivement agrandis et deviendront très apparents.

C'est ce que montre l'exemple des deux photos que nous avons placées sur les deux pages suivantes. L'image de la page de gauche possède une taille de 480 × 640 pixels. Pour qu'elle couvre la surface entière de la page, nous avons choisi une résolution d'impression de 140 ppp. La page de droite présente la même image, dont la taille d'origine était cette fois de 160 × 213 pixels. Pour parvenir à couvrir l'étendue de la page, nous avons dû utiliser une résolution d'impression de 40 ppp, soit un réglage extrêmement faible pour une impression sur papier. Les carrés des pixels se remarquent à présent très facilement.

note

Le nombre de pixels des images est donc essentiel à leur qualité. C'est d'ailleurs l'un des principaux critères techniques que vous devrez considérer au moment d'acheter un appareil photo numérique.

Si l'appareil que vous utilisez est très limité quant au nombre de pixels qu'il peut enregistrer par photo, vous ne pourrez jamais imprimer vos images à très grande taille tout en conservant une bonne qualité d'impression. Si un haut niveau de précision n'est pas toujours nécessaire (notamment lorsque vous vous contentez d'imprimer de petites photos), il est en revanche essentiel lorsque vous souhaitez réaliser des reproductions à grand format. Nous reviendrons sur ces questions dans le chapitre suivant.

480 × 640 — 120 ppp

160 × 213 — 40 ppp

1.3 Le rééchantillonnage

La taille en pixels des images est fixe en elle-même, mais vous pouvez choisir de la modifier grâce à votre logiciel d'édition d'images. En faisant cela, vous recréez en fait une image entièrement nouvelle. Votre programme vous laisse spécifier la taille désirée, puis opère ses calculs et modifie les pixels existants afin d'atteindre la taille fixée. L'opération qui consiste à modifier les pixels de l'image pour atteindre une taille différente est appelée *rééchantillonnage*.

Deux opérations sont possibles : soit vous réduisez l'image (et donc le nombre de pixels qui la composent), soit vous l'agrandissez (auquel cas, vous augmentez le nombre de pixels qui la composent). Dans les deux cas, l'ordinateur doit procéder à des calculs afin de déterminer quelle doit être la couleur de chacun des pixels de la nouvelle image.

Si vous réduisez la taille d'une image, le principe est assez simple et consiste selon la méthode standard à calculer la couleur moyenne de plusieurs pixels de l'image d'origine pour déterminer la couleur d'un unique pixel dans l'image réduite. Par exemple, si vous réduisez votre image de 50 %, l'image réduite comptera quatre fois moins de pixels que l'image d'origine. En conséquence, chaque carré de quatre pixels dans l'image de départ sera remplacé par un unique pixel dans l'image réduite. Une couleur moyenne des quatre pixels du carré de départ est calculée, puis appliquée au pixel de la nouvelle image, comme le montre l'exemple du haut dans l'illustration de la page de droite.

Si à l'inverse, vous agrandissez une image, le problème se complique quelque peu pour votre ordinateur : lorsqu'il réduisait la taille d'une image, il supprimait des informations ; en l'agrandissant, il doit en inventer ! Or, évidemment, il n'a aucun moyen de deviner des détails qu'il ne connaît pas. Il doit donc tricher. La solution consiste alors généralement à inter-caler entre les pixels de l'image d'origine des pixels de teintes intermédiaires, qui établissent une transition entre les diffé-rentes couleurs existantes, comme le montre l'image agrandie à 200 % ci-dessous.

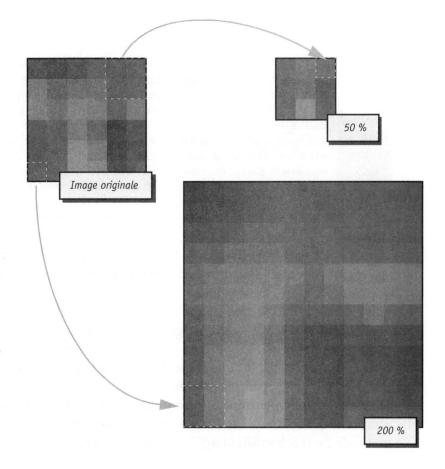

50 %

Image originale

200 %

Le rééchantillonnage est donc une méthode radicale, car il dénature les informations contenues dans l'image d'origine. En pratique, il s'agit très rarement d'une opération utile pour la retouche des images. Lorsque vous réduisez la taille d'une image, vous perdez une certaine quantité des informations qu'elle contenait au départ. Si le but est de réduire sa taille d'affichage, il vaut donc souvent mieux augmenter la résolution d'affichage : vous conserverez ainsi toutes les informations d'origine en réduisant simplement la taille des pixels (ou des points).

note

On peut choisir de réduire la taille d'une image lorsque la résolution permettant de reproduire l'image à la taille souhaitée est déjà largement suffisante. Par exemple, si vous constatez que vous devez utiliser une résolution de 1 200 ppp pour imprimer une image à une taille donnée et que votre imprimante ne peut elle-même imprimer à plus de 300 ppp, votre résolution est inutilement élevée. Dans un tel cas, vous pourrez sans crainte réduire la taille de votre image, puis l'imprimer en utilisant une résolution standard de 300 ppp.

Le principal cas de figure où le rééchantillonnage peut être intéressant consiste à agrandir une image dont vous constatez que la résolution est trop faible. Si vous souhaitez imprimer une image à grand format et que les motifs des pixels deviennent apparents parce que l'image ne contient pas assez de pixels, vous pouvez envisager de la rééchantillonner en l'agrandissant. Votre logiciel ne pourra cependant pas faire de miracles et faire apparaître des détails qu'il ne saurait inventer, mais les photographies présentent souvent des effets de nuances adoucis et de nombreux dégradés auxquels la méthode de rééchantillonnage bicubique est propice.

L'exemple de la photographie ci-dessous l'illustre bien : pour afficher la première image à une taille raisonnable, nous avons dû utiliser une résolution très faible qui produit un résultat décevant. L'image agrandie, rééchantillonnée, contient un plus grand nombre de pixels. L'effet d'adoucissement de la méthode bicubique a atténué le quadrillage des pixels sans perturber l'apparence générale de la photographie.

Image originale

Image rééchantillonnée à 200 %

note

Le rééchantillonnage des images peut généralement être contrôlé en choisissant la méthode utilisée pour le calcul des couleurs des nouveaux pixels. Le principe que nous avons présenté est une explication simpliste de la méthode de rééchantillonnage appelée bicubique à laquelle on fait le plus souvent appel. Si vous ne souhaitez pas créer de teintes transitionnelles et agrandir simplement les pixels existants (en faisant par exemple correspondre à un pixel de l'image d'origine quatre pixels de la même couleur dans l'image agrandie), vous pouvez également opter pour une autre méthode, qui consiste à dupliquer les pixels d'origine au lieu d'intercaler des couleurs intermédiaires.

*En général, les logiciels d'édition d'images vous permettent de sélectionner la méthode de rééchantillonnage directement à partir de la boîte de dialogue de redimensionnement de l'image. C'est le cas par exemple de Paint Shop Pro (*Image ⇒ Redimensionner, *puis menu déroulant* Type de redimensionnement)*, de Photoshop* Elements (Image ⇒ Redimensionner ⇒ Taille de l'image, *puis menu déroulant* Rééchantillonnage) *et de Photoshop (*Image ⇒ Taille de l'image, *puis menu déroulant* Rééchantillonnage)*.*

1.4   **Les couleurs**

Les nuances de couleur des images imprimées sont produites en mélangeant des encres de couleurs primaires. Ce principe est bien connu parce qu'il rappelle les techniques de la peinture : pour peindre en vert, il suffit de mélanger du jaune avec du bleu. En général, les imprimantes utilisent quatre couleurs pour reproduire les différentes teintes possibles : le cyan, le magenta, le jaune et le noir. Pour désigner ce système de reproduction des couleurs, on parle d'espace colorimétrique CMJN (Cyan, Magenta, Jaune, Noir).

Pour créer du blanc, aucune encre n'est utilisée : la surface vierge du papier y suffit. Pour créer du noir, toutes les couleurs sont mélangées. Pour obtenir un ton orange, on mélangera du magenta (rouge) et du jaune.

Ce modèle de couleur est dit *soustractif*, parce qu'il faut soustraire des couleurs pour obtenir une couleur plus claire (l'absence de couleur produisant du blanc).

Les images numériques utilisent un procédé du même genre, à ceci près qu'il ne fait évidemment plus appel à de l'encre, mais à des faisceaux de lumière.

1.4.1. Principe de la colorimétrie RVB

Les images affichées sur écran sont reproduites en mélangeant trois faisceaux de couleurs fondamentales : le rouge, le vert et le bleu. Toutes les couleurs qui s'affichent sur un écran sont créées en combinant ces trois couleurs selon différents degrés d'intensité. On parle alors d'espace colorimétrique RVB (Rouge, Vert, Bleu).

A la différence du modèle CMJN, l'absence de couleur sur les écrans produit du noir. Quand aucun faisceau lumineux n'est projeté, on laisse apparaître l'écran tel qu'il se présente lorsqu'il est éteint, c'est-à-dire noir. C'est donc l'inverse de la feuille de papier. Pour obtenir du blanc, on mélange du rouge, du vert et du bleu à pleine intensité. Ce modèle de représentation des couleurs est donc dit *additif*, parce qu'il faut ajouter des couleurs pour obtenir des teintes plus claires.

Le modèle RVB est le système colorimétrique utilisé mécaniquement pour l'affichage sur écran. C'est ce modèle qui est également adopté pour stocker les informations concernant les couleurs des images numériques. Pour décrire la couleur d'un pixel, on indiquera ainsi les taux de rouge, de vert et de bleu qui le composent.

Les images numériques peuvent donc être décomposées en trois couches rouge, verte et bleue dont les différents niveaux de luminosité définissent l'intensité de chacune de ces couleurs mélangées, comme le montre l'image ci-dessous.

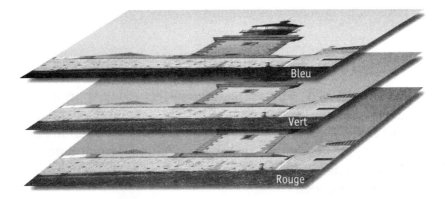

Ces couches se représentent en niveaux de gris, les tons de gris plus clairs correspondant à une proportion plus intense de la couleur correspondante et les tons plus sombres à une proportion plus faible. Dans la couche supérieure (bleue) de l'image précédente, vous remarquerez que la bande inférieure est très sombre : c'est le signe que dans cette zone, l'image contient très peu de bleu.

Les photographies papier peuvent contenir un nombre illimité de couleurs (du moins en théorie, car le matériel utilisé pour la reproduction de l'image limite toujours d'une manière ou d'une autre l'étendue des nuances reproductibles). A l'inverse, les photographies numériques sont par nature limitées quant au nombre de couleurs qu'elles peuvent utiliser : la richesse des couleurs dépend en effet de la précision avec laquelle l'image numérique est décrite. Cette précision est appelée *profondeur de couleur*.

1.4.2. **Profondeur de couleur**

Les informations qui décrivent les pixels des images numériques sont stockées comme toutes les autres données le sont sur les ordinateurs : sous la forme de 0 et de 1. Plus on utilise un nombre important de chiffres, plus on peut stocker des informations précises.

Les cellules mémoire dans lesquelles sont stockés les 0 et les 1 sont appelées des *bits*. L'unité mémoire à laquelle on fait le plus souvent appel est l'octet, qui correspond à un bloc de 8 bits. Un octet permet de stocker 256 valeurs possibles, selon la combinaison de 0 et de 1 de chacun de ses bits.

|0|1|0|1|0|1|1|1|0| ⟶ *256 valeurs possibles*
1 octet (8 bits)

Pour décrire la couleur de chaque pixel d'une image, on peut utiliser un nombre plus ou moins important d'octets. Si un seul octet est utilisé par pixel, il n'est possible de proposer que 256 variantes de couleur. Lorsque 2 octets sont utilisés par pixel, on parvient à produire 256 × 256 = 65 536 couleurs. Lorsque 3 octets sont utilisés par pixel, on peut cette fois décrire 256 × 256 × 256 = 16 777 216 couleurs.

Nous venons de présenter les trois profondeurs de couleur les plus courantes pour les images numériques : la profondeur 8 bits, qui permet de créer des images de 256 couleurs, la profondeur 16 bits, qui permet d'utiliser 65 536 couleurs et la profondeur 24 bits, qui permet de créer plus de 16 millions de couleurs.

Le format standard qui est le plus couramment utilisé aujourd'hui pour la photographie numérique est celui des millions de couleurs (profondeur 24 bits). Avec ce format de représentation, 3 octets sont utilisés pour décrire la couleur de chacun des pixels de l'image, soit un octet par couche de couleur. Les images 24 bits peuvent donc être décrites au moyen de trois couches rouge, verte et bleue proposant chacune 256 niveaux d'intensité. Les valeurs de chaque composante sont exprimées par un nombre compris entre 0 et 255. Le Tableau 1-1 présente quelques exemples de couleur et leurs valeurs correspondantes de rouge, de vert et de bleu.

Tableau 1-1   **Composantes RVB des couleurs**

Couleur	Rouge	Vert	Bleu
Rouge pur	255	0	0
Vert pur	0	255	0
Bleu pur	0	0	255
Blanc	255	255	255
Noir	0	0	0

Tableau 1-1   **Composantes RVB des couleurs**

Couleur	Rouge	Vert	Bleu
Gris foncé	50	50	50
Gris clair	200	200	200
Violet sombre	150	0	150
Orange	255	128	0

Le travail que vous effectuerez sur vos images portera générale-ment sur l'image couleur composée des trois couches RVB (on dit aussi l'image *composite*). Toutefois, un certain nombre de techniques consistent à n'intervenir que sur l'une ou l'autre des couches de couleur. C'est par exemple ce que vous ferez lorsque vous corrigerez les effets des « yeux rouges » en travaillant sur vos portraits (une technique que nous présen-terons dans le chapitre 13, page 207).

1.4.3. Séparation des couches

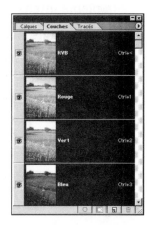

La plupart des logiciels d'édition d'images vous permettent de sépa-rer les couches de vos images couleur. Photoshop propose même un aperçu en direct de chacune des couches de votre image dans la palette Couches (voir ci-contre). Pour accéder à l'une des couches de l'image et travailler dessus sans affecter les autres, vous n'aurez qu'à double-cliquer sur sa vignette pour la faire apparaître.

Dans d'autres cas, la séparation des couches doit être explicitement effectuée. C'est ce qu'exige par exemple le logiciel Paint Shop Pro, qui vous permet de générer trois images en niveaux de gris correspondant aux trois couches RVB de la photographie sur laquelle vous travaillez (vous choisirez pour cela la commande Couleurs ⇒ Séparer les couches ⇒ Séparer les couches RVB).

Nous avons utilisé Paint Shop Pro pour séparer les couches de l'image présentée dans la page de droite. Cette photographie représente une salle de cinéma dont les fauteuils et le mur de gauche sont en rouge vif. Le mur de gauche est légèrement dans l'ombre, aussi sa teinte rouge est-elle plus sombre que celle des fauteuils. L'écran est complètement blanc, tandis que le mur qui l'encadre est entièrement noir.

Les trois couches de couleur de cette image sont présentées dans les trois pages suivantes. Comme nous l'avons expliqué, les trois couleurs sont sollicitées pour produire le blanc de l'écran. Sur cette zone, le rouge, le vert et le bleu sont affichés à pleine intensité.

Pour la zone noire du mur sur lequel est placé l'écran, c'est l'inverse qui se passe : le rouge, le vert et le noir sont à leur plus faible intensité.

Les zones rouges du reste de l'image sollicitent la couche rouge, mais plus fortement au niveau des fauteuils, qui sont éclairés, qu'au niveau du mur, qui est dans l'ombre. Comme le mur et les fauteuils sont d'un rouge très pur, quasiment aucune composante de vert et de bleu n'est utilisée pour ces zones.

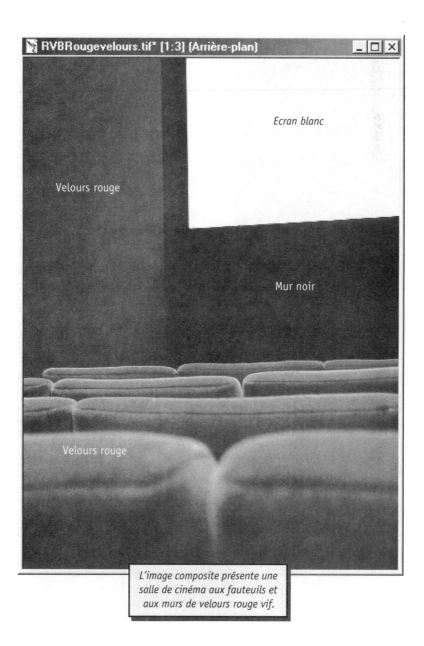

L'image composite présente une salle de cinéma aux fauteuils et aux murs de velours rouge vif.

Bleu13³ [1:3] (Arrière-plan)

Pleine intensité de bleu pour créer du blanc par mélange avec les autres couleurs

Absence de bleu pour le mur rouge foncé

Absence de bleu pour le mur noir

La couche bleue est très sombre, sauf au niveau de l'écran, car elle contribue à générer le blanc.

Vert13ˣ [1:3] (Arrière-plan)

Pleine intensité de vert pour créer du blanc par mélange avec les autres couleurs

Absence de vert pour le mur rouge foncé

Absence de vert pour le mur noir

La couche verte est presque identique. Comme les autres couches, elle contribue au blanc.

Rouge13* [1:3] (Arrière-plan)

Pleine intensité de rouge pour créer du blanc par mélange avec les autres couleurs

Le mur rouge n'utilise pas autant de rouge que les fauteuils, car il est plus sombre

Absence de rouge pour le mur noir

Rouge à pleine intensité pour les fauteuils rouge vif

La couche rouge est la plus fortement sollicitée. Elle est très claire, signe que le rouge est très présent dans l'image.

Pour transformer les fauteuils rouges en fauteuils bleus, il nous suffirait d'assombrir les fauteuils dans la couche rouge (afin de diminuer la quantité de rouge dans cette zone de l'image) et de les éclaircir dans la couche bleue.

note

Dans Paint Shop Pro, une fois que les couches ont été modifiées, vous devez recomposer l'image en les combinant à nouveau. Pour cela, vous choisirez la commande Couleurs ⇒ Combiner les couches ⇒ Combiner à partir des couches RVB.

Dans Photoshop, vous n'avez qu'à cliquer sur la couche Composite dans la palette Couches pour revenir à votre image composite.

1.4.4. **Les modèles de couleurs**

En général, vous travaillerez sur vos images en mode RVB, notamment parce que ce modèle de couleurs correspond à celui qui est effectivement utilisé pour la reproduction des couleurs à l'écran. De cette manière, les données que vous manipulerez correspondront à celles qui sont réellement exploitées pour l'affichage des images.

La plupart des logiciels d'édition d'images vous permettent néanmoins d'exploiter d'autres modes de couleur. Par exemple, au moment d'imprimer vos images, vous pourrez opter pour le système colorimétrique CMJN, afin de travailler cette fois sur les composantes qui seront à l'œuvre au cours de l'impression. Vous pourrez ainsi décomposer vos images en couches cyan, magenta, jaune et noir et ajuster différents réglages qui permettront d'améliorer le rendu de vos images imprimées.

Tous les modes de couleurs ne correspondent pas forcément à un système mécanique de reproduction des couleurs. Les modèles CMJN et RVB correspondent effectivement au procédé d'impression et à celui de l'affichage à l'écran, mais on peut également décrire les couleurs d'autres manières.

Nous ne pouvons pas considérer en détail les systèmes colorimétriques dans le cadre de ce livre, mais nous allons rapidement passer en revue les principales options que vous proposent les logiciels d'édition d'images.

note

Notez qu'en optant pour un autre modèle de couleur que le modèle RVB, vous aurez la possibilité de travailler sur des couches de couleur autres que le rouge, le vert et le bleu. Cela peut être intéressant lorsque jouez sur la décomposition des couches pour exploiter certaines techniques astucieuses. Par exemple, une technique de sélection consiste à séparer les couches RVB pour sélectionner plus facilement un objet sur l'une des couches RVB qu'on y parviendrait sur l'image composite. Si pour une image donnée les couches RVB ne permettent pas d'exploiter cette astuce, la technique peut en revanche fonctionner sur les couches d'un autre modèle de couleurs...

RVB

Le modèle RVB exprime les couleurs par des degrés de rouge, de vert et de bleu. C'est le système utilisé pour l'affichage des couleurs à l'écran.

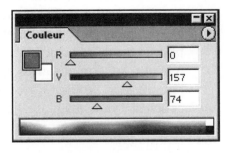

Code hexadécimal (Web)

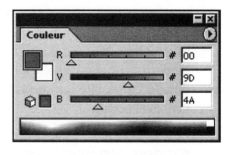

Les couleurs RVB sont exprimées dans les pages Web en utilisant un code hexadécimal (qui utilise les 10 chiffres décimaux ainsi que les lettres A à F). Ce système de notation permet d'exprimer chaque composante (dont la valeur est comprise entre 0 et 255) par un nombre à 2 chiffres. Seule la notation est différente du modèle RVB classique, le principe colorimétrique étant identique.

CMJN

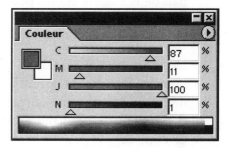

Le modèle CMJN (Cyan, Magenta, Jaune, Noir) est utilisé pour l'impression des images. On exprime les composantes de couleur au moyen d'un pourcentage.

TSL

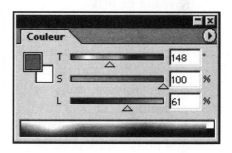

Le modèle TSL (Teinte, Saturation, Luminosité) permet de décrire les couleurs en séparant trois données fondamentales pour le travail sur les images : la teinte, la saturation et la luminosité. La teinte correspond à la gamme de tons de la couleur (jaunes, verts, bleus, violets, etc.) ; la saturation définit l'intensité de la couleur (à quel point elle est vive) ; enfin, la luminosité correspond à l'intensité lumineuse de la couleur (à quel point elle est claire ou sombre).

Ce modèle est utilisé avec un certain nombre de filtres d'images. Son intérêt tient principalement à ce qu'il décompose les couleurs en des composantes qui s'avèrent plus « parlantes » pour le graphiste que ne le sont les proportions de mélange des couleurs primaires. Lorsque vous travaillerez sur la couleur d'un élément d'une image, vous aurez plus naturellement tendance à penser : « Le ciel est un peu sombre » (auquel cas, vous augmenterez la luminosité) ou « Le pan de la colline est un peu terne » (auquel cas, vous forcerez le réglage de saturation) que « Il manque 10 pour cent de rouge et 5 pour cent de vert »...

La saturation et la luminosité s'expriment au moyen d'un pourcentage qui en définit l'intensité, tandis que le paramètre de teinte est exprimé en degré (on utilise en effet un « disque des couleurs » pour matérialiser la suite continue des teintes de couleur).

Niveaux de gris

Le mode Niveaux de gris propose 256 variantes de gris. Il s'agit donc d'une modèle dont la profondeur est de 8 bits, contrairement à ceux que nous avons présentés jusque-là, pour lesquels on choisit généralement une profondeur 24 bits.

Bitmap

Photoshop propose un autre mode appelé Bitmap, qui n'utilise que deux couleurs, le blanc et le noir. Sa profondeur de couleur est donc d'un bit : la couleur de chaque pixel étant définie en utilisant un 0 ou un 1. C'est ce mode qui est utilisé par les télécopieurs, qui transmettent le contenu de la page sous la forme d'une image uniquement composée de points blancs ou de points noirs.

Chapitre 2

Numérisation des images

Le chapitre précédent n'aura pas forcément été digeste pour tout le monde, mais il n'avait pas pour but de faire assimiler les moindres aspects techniques de la colorimétrie ou de la pixellisation des images. Le principal est que certaines notions vous soient à présent plus familières, au moins de manière approximative. Le reste viendra de soi, à mesure que vous travaillerez sur vos images.

Dans le présent chapitre, nous parlerons rapidement des moyens d'acquérir vos images. Cette fois encore, nous irons vite, car le but est d'en venir concrètement aux techniques de retouche. Il convenait toutefois d'aborder quelques points qui auront une influence directe sur le travail que vous pourrez effectuer sur vos images. Toutes les techniques du monde ne vous permettront pas de réparer une photographie numérisée à la mauvaise résolution ou importée en utilisant le mauvais format.

Il existe deux moyens principaux d'acquérir des photographies numériques : en important des photos prises avec un appareil photo numérique ou en numérisant des photographies papier au moyen d'un scanner.

2.1   Scanner des images

Si vous numérisez vos images en utilisant un scanner, quelques considérations techniques se posent. Malheureusement, il ne suffit pas de poser vos photographies sur l'appareil et d'appuyer sur un bouton. Pour obtenir des images de bonne qualité, vous devrez prendre plusieurs facteurs en compte.

2.1.1. Choix du scanner

Evidemment, mieux on est équipé, plus on a de chances d'obtenir de bons résultats. Toutefois, la qualité des scanners est aujourd'hui bien meilleure qu'elle ne l'était il y a quelques années et même les modèles les moins chers peuvent produire d'excellents résultats.

L'une des erreurs classiques consiste à vouloir à tout prix s'équiper du scanner proposant la plus haute résolution possible. En fait, comme nous allons le voir, des résolutions très élevées sont bien souvent inutiles, lorsqu'elles ne sont pas même néfastes. La résolution optique du scanner définit le nombre de pixels qui sont générés par pouce lorsque l'image est numérisée. Par exemple, en numérisant une photo à 600 ppp, vous créerez une image comptant 600 pixels par tranche de 2,54 cm (un pouce). Le principe est donc le même que pour la résolution d'affichage ou la résolution d'impression dont nous avons parlé dans le chapitre précédent, sauf que la résolution optique du scanner définit une précision de lecture au lieu d'une précision de reproduction.

Tous les scanners d'aujourd'hui proposent des résolutions très élevées : parce qu'il s'agit du principal critère pris en compte par les acheteurs, les fabricants se sont rapidement alignés. Mais la résolution est une chose et la qualité de lecture en est une autre. L'important est plus souvent de savoir avec quelle fidélité votre scanner pourra reproduire les couleurs de vos photographies plutôt que de savoir combien de millions de pixels peuvent être générés en numérisant un timbre poste.

2.1.2. Les résolutions et la numérisation

Les détails qu'un scanner pourra capturer dépendent de sa *résolution optique* (physique) et non de ce que les fabricants appellent quelquefois sa *résolution maximale*, laquelle consiste à simuler les détails que ne peut lire le scanner, en intercalant des pixels intermédiaires. Ce procédé est exactement le même que celui du rééchantillonnage dont nous avons parlé dans le précédent chapitre. Or, si votre scanner peut le faire, votre logiciel d'édition d'images pourra le faire aussi, et sans nul doute beaucoup mieux.

La *résolution de numérisation* correspond à la résolution que vous choisirez au moment de numériser votre image. Elle ne doit pas nécessairement être aussi élevée que la résolution optique. En revanche, comme nous venons de le voir, il est parfaitement inutile qu'elle lui soit supérieure.

L'un des principaux problèmes que vous aurez à considérer en numérisant vos images est le choix de cette résolution de numérisation. En théorie, plus vous choisissez une résolution élevée, plus la qualité de l'image sera bonne. En pratique, les choses se passent un peu différemment.

Les images que vous allez numériser peuvent être de différents types : il peut s'agir de photographies papier développées par un laboratoire photographique, d'images extraites de pages de magazines ou tout simplement d'images imprimées avec une imprimante de bureau, par exemple à jet d'encre. Le type du document de départ influence considérablement le résultat que vous pourrez obtenir.

Le problème qui revient le plus fréquemment est celui de la trame des photographies que vous numérisez. Par exemple, si vous choisissez de scanner une photo qui a préalablement été imprimée sur papier à une résolution de 300 ppp, inutile de chercher à la numériser à 1 200 ppp : au-delà de 300 ppp les détails n'existent pas, et plus vous pousserez la résolution, plus vous permettrez au contraire au scanner de capturer précisément la trame d'impression.

note

Aujourd'hui, un grand nombre de laboratoires photographiques développent leurs photos à moindre frais en utilisant des machines qui numérisent les photos, puis les impriment. Au lieu d'une reproduction en continu obtenue par la réaction chimique du papier photographique, c'est donc au procédé d'impression classique des imprimantes qu'ils font appel.

Si la trame de la photographie ne se remarque pas forcément lorsqu'on observe les photos rapidement, elle apparaît pourtant quand on y regarde de plus près, et surtout, elle produit un effet désastreux lorsque l'image est numérisée au moyen d'un scanner. Si vous souhaitez obtenir des photos de qualité en les numérisant, veillez donc à ce qu'elles soient développées selon les règles de l'art, c'est-à-dire forcément (condition nécessaire mais non suffisante) un peu plus chères...

Si l'image que vous scannez est tramée, inutile de pousser excessivement la résolution de numérisation, au contraire : il vaut mieux parfois la diminuer assez fortement, afin que la grille de lecture du scanner, plus grossière, ne capture pas la trame de l'impression et s'en tienne plus généralement aux motifs et aux nuances de l'image. Le grand problème technique de ces cas de figure tient à ce que deux trames viennent se superposer et décupler leur effet d'imprécision : la grille de lecture du scanner ne pouvant être impeccablement alignée sur la trame de la photographie, c'est un tramage doublement marqué que l'on obtient.

Dans le chapitre 5, nous présenterons une technique de filtrage qui permet d'atténuer l'effet de trame obtenu en scannant des photos (Filtres de flou, page 67), mais autant que possible, il convient d'atténuer ces effets indésirables au moment de la numérisation. Il n'est pas possible de présenter toutes les techniques possibles dans ce livre, mais gardez au moins pour règle de procéder systématiquement à des tests de réglages pour vérifier chaque fois quel paramétrage de votre scanner produit les meilleurs effets. Délimitez une petite zone de votre photo, scannez-la avec plusieurs types de réglages possibles, puis comparez les résultats obtenus. Une fois que vous serez décidé pour un réglage donné, paramétrez votre scanner et numérisez alors l'image tout entière.

2.1.3. **Réglages matériels et réglages logiciels**

Les réglages des scanners sont le plus souvent proposés par le logiciel qui vous sert à piloter le scanner. Or, il convient absolument de faire la distinction entre les réglages physiques de la machine (qui correspondent par exemple au choix de la résolution de numérisation ou de la vitesse de lecture optique) et les réglages logiciels, qui ne sont que des manipulations artificielles effectuées après coup par le programme du scanner. Ces réglages étant effectués après la numérisation de l'image, ils n'augmentent jamais la richesse des informations de l'image et risquent bien au contraire de la diminuer. Tout ce que le logiciel de votre scanner peut effectuer automatiquement peut également être réalisé par votre logiciel d'édition d'images et qui plus est, avec votre aide, afin de contrôler l'aspect de l'image.

Les réglages présentés ci-dessous sont tous des réglages logiciels (cette liste n'est pas exhaustive). Comme vous le voyez, plusieurs de ces options concernent des manipulations d'image dont nous traiterons dans ce livre. Vous pourrez donc réaliser ces traitements par vous-même, en observant précisément l'effet obtenu sur votre image, alors que le pilote du scanner les effectuera aveuglément. Lorsque vous numérisez vos images, désactivez donc toutes les options ingénieuses ou farfelues que vous propose votre logiciel de numérisation.

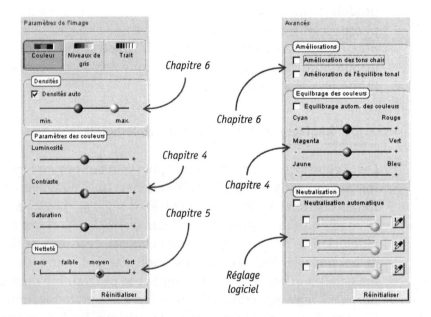

2.2   Utiliser un appareil photo numérique

La numérisation des images avec un scanner pose de sérieuses limitations quant à la résolution, parce que deux étapes interviennent qui limitent la qualité de l'image finale : la photographie que vous placerez sur votre scanner aura été reproduite au moyen d'un appareil dont la qualité de reproduction ne peut être absolue et la numérisation que vous effectuerez ajoutera à cette imprécision.

Le cas des appareils photo numériques est un peu différent. L'image que vous capturez peut-être importée immédiatement dans votre logiciel d'édition d'images, sans que cette opération d'importation ne dégrade l'image. La question de la résolution se pose donc différemment.

Comme nous l'avons évoqué dans le premier chapitre, plus vos photographies comptent un nombre important de pixels, plus elles sont précises. En outre, les appareils photo vous permettent souvent de choisir le niveau de précision que vous souhaitez utiliser : rien ne vous oblige à utiliser la résolution maximale, mais cette résolution maximale ne pourra jamais être dépassée.

Il existe donc une grande différence entre un appareil qui vous permet de capturer photographies de 500 000 pixels et un autre qui produit des images proposant 4 millions de pixels. Si vous ne comptez pas réaliser des travaux de qualité professionnelle ou imprimer des posters géants, vous pourrez sans doute envisager d'effectuer un compromis entre le prix d'achat et la précision des photos, mais il s'agira réellement d'un compromis : plus les capacités de l'appareil sont importantes, plus la qualité de vos photos sera grande.

Votre appareil peut proposer différents réglages de qualité pour la prise des photos. En général, plus vous choisissez une qualité faible, plus vous pourrez prendre de clichés avant d'avoir rempli la mémoire de l'appareil.

Renseignez-vous cependant de manière précise sur le fonctionnement de l'appareil que vous possédez ou que vous envisagez d'acheter : dans certains cas, ce n'est pas le nombre de pixels capturés qui diminue lorsque vous optez pour une qualité plus faible, mais le taux de compression du format JPEG utilisé pour compresser la taille des images. Or, les effets de cette méthode peuvent être très néfastes : le format JPEG, notamment lorsqu'un réglage de compression intense est utilisé, produit des artefacts très repérables sur l'image en la décomposant en blocs de 8 × 8 pixels. Bien souvent, mieux vaut posséder une image intacte et deux fois plus petite qu'une image compressée de grande taille. Le quadrillage que forme dans l'image la méthode de compression JPEG se trouvera généralement rehaussé par toutes les opérations de retouche d'images que vous tenterez d'effectuer, ce qui les rendra complètement inutiles.

Pour en apprendre plus sur le format JPEG et la méthode de compression JPEG, consultez la section JPEG du chapitre suivant (page 50).

La résolution poussée des images est un avantage, mais elle possède également ses inconvénients. Plus votre image est composée d'un grand nombre de pixels, plus la taille de son fichier sera importante et surtout, plus elle sera lourde à gérer par votre logiciel de traitement des images. Si chaque image que vous importez sollicite les ressources de votre ordinateur au maximum de ses capacités, vous devrez revoir vos ambition à la baisse. Vous pourriez envisager d'acheter un nouvel ordinateur, mais cette surenchère des performances a tout de même ses limites. Même les ordinateurs les plus puissants qui existent aujourd'hui ne peuvent gérer aisément des images aux tailles de mastodontes. En outre, vous souhaiterez avoir une certaine marge de manœuvre, car le traitement des photos sollicite fortement les capacités mémoire et processeur des systèmes. Lorsque vous aurez décomposé votre image en douze calques, vous aurez également multiplié son poids par douze. Lorsque vous appliquerez des filtres complexes à vos images, vous aurez besoin de 5 à 10 fois l'équivalent de leur taille en mémoire RAM pour que le traitement puisse s'effectuer de manière fluide. Envisagez donc chacun de ces aspects avant de vous évertuer à travailler sur des images ultra-précises. Mieux vaut être à même d'utiliser facilement et rapidement vos outils de retouche que de posséder une image de très haute résolution que vous ne parviendrez pas à manipuler.

Chapitre 3

Formats d'image et logiciels graphiques

Ce chapitre est le dernier qui nous sépare de nos premiers travaux pratiques, mais il est incontournable. Avant de commencer à manipuler vos images, vous devrez en effet vous familiariser avec les différents formats d'image. Si vous ne choisissez pas le format approprié, vous risquez de détériorer vos images ou de perdre des données que vous souhaitiez conserver. Nous passerons donc rapidement en revue les principales options qui vous sont offertes, afin qu'avant d'améliorer vos photos, vous ne commenciez pas par les dénaturer.

Nous clorons ce chapitre en présentant certains des logiciels que vous pourrez utiliser pour la retouche de vos images.

3.1 Les principaux formats d'image

Il existe un très grand nombre de formats d'images, d'abord parce que plusieurs standards ont tenté de s'imposer en se faisant concurrence, mais également parce que chaque logiciel, qui fait appel à des outils spécifiques, fournit en général un format d'enregistrement spécialement conçu pour mémoriser les données relatives à ses outils. Les formats spécifiquement liés à des logiciels sont appelés des *formats natifs*. Les autres sont appelés des *formats standard*.

En ce qui vous concerne, vous n'aurez probablement à vous occuper que de 4 ou 5 formats d'image en tout. Vous utiliserez sans doute le format natif de votre logiciel d'édition d'images, qui vous permettra d'enregistrer vos travaux en cours et de les reprendre par la suite en utilisant les mêmes outils, puis trois ou quatre autres formats, selon l'usage auquel vous destinerez vos images. Par exemple, si vous souhaitez transmettre une image par e-mail ou la placer sur une page Web, vous chercherez à réduire autant que possible son poids. Si vous voulez préserver à tout prix la qualité de votre image, vous utiliserez un format sans perte et vous créerez un fichier plus lourd. Si vous souhaitez transmettre votre image à une personne qui utilise un autre logiciel ou un autre type d'ordinateur, vous choisirez un format compatible qui peut être lu avec n'importe quel logiciel et sur n'importe quelle plate-forme.

Afin que vous puissiez vous y retrouver, nous allons rapidement présenter les principaux formats d'image que vous pourrez utiliser.

3.1.1. **JPEG**

Le format JPEG est extrêmement répandu en raison de sa capacité à réduire le poids des fichiers. Il doit son succès en grande partie à Internet, qui l'a adopté de manière écrasante pour les images photographiques.

Le format JPEG utilise une méthode de compression *à perte*. Cela signifie que pour réduire la taille du fichier de l'image, une partie des informations d'origine sont abandonnées. Différents niveaux de compression sont proposés, qui peuvent être définis au moment de l'enregistrement. Plus la compression est élevée, plus le fichier devient petit et plus l'image est dégradée.

Ce format est donc un *format de présentation des images*. On ne doit l'utiliser que lorsque l'on ne souhaite plus opérer la moindre modification. Chaque enregistrement au format JPEG dégrade une nouvelle fois l'image et l'effet est exponentiel. On peut comparer ce mécanisme à celui d'une photocopie que l'on photocopie : à chaque passage, la qualité de reproduction est de plus en plus fortement entamée.

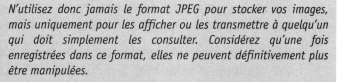

attention

N'utilisez donc jamais le format JPEG pour stocker vos images, mais uniquement pour les afficher ou les transmettre à quelqu'un qui doit simplement les consulter. Considérez qu'une fois enregistrées dans ce format, elles ne peuvent définitivement plus être manipulées.

Pour stocker vos photographies originales, utilisez toujours un format sans perte, par exemple le format TIFF.

Le format JPEG permet de reproduire 16,7 millions de couleurs (profondeur 24 bits) et convient beaucoup mieux aux images photographiques qu'à des dessins au trait.

3.1.2. **TIFF**

Le format est le standard du monde de l'impression. Dans sa version 24 bits (la plus courante), il permet de reproduire 16,7 millions de couleurs. Il s'agit d'un format sans perte : chaque pixel de l'image d'origine est donc préservé.

En revanche, si vous travaillez dans un logiciel et que vous avez créé plusieurs calques dans votre image ou utilisé des objets vectoriels, vous perdrez ces informations, qui ne peuvent être conservées qu'en utilisant un format natif.

Le format TIFF est le format de stockage des images par excellence. Il est s'apparente par bien des points au format BMP de Microsoft, mais il est plus universel et facilite mieux la compatibilité avec les ordinateurs Macintosh.

3.1.3. **GIF**

Le format GIF est le deuxième format du Web, qui s'est imposé pour l'enregistrement de toutes les images non photographiques qui laissent apparaître de larges zones de couleur unie.

Son système de compression est sans perte, mais il est limité à 256 couleurs. Sa capacité à réduire la taille des images tient en premier lieu au nombre réduit de couleurs qu'il propose.

Ce format convient très mal aux photographies, dont les reliefs nuancés font toujours appel à un très grand nombre de couleurs. En outre, les motifs bigarrés des images photographiques conviennent mal à la méthode de compression du format GIF.

3.1.4. **Les formats natifs**

Les formats natifs sont spécifiques à des logiciels et servent à mémoriser des informations relatives au travail effectué dans ces programmes. Par exemple, vous pouvez ajouter des calques afin de répartir les informations de l'image sur plusieurs niveaux (une notion que nous présenterons dans le chapitre 10, Principe de fonctionnement des calques, page 167) ou encore incorporer du texte au format vectoriel. En utilisant le format natif de votre logiciel pour enregistrer votre image, vous pourrez sauvegarder toutes ces informations et rouvrir plus tard votre image en retrouvant vos calques et votre texte vectoriel.

Les formats standard sont à l'inverse *aplatis* : ils ne contiennent que les pixels de l'image et ne conservent ni les objets numériques sur lesquels vous travaillez, ni les différents calques grâce auxquels vous aurez réalisé vos montages. Tout est écrasé en une image plate.

Lorsque vous entreprendrez un long travail de retouche qui nécessite d'enregistrer l'image afin d'y revenir par la suite, utilisez donc systématiquement le format natif de votre logiciel.

3.2 Les logiciels de traitement des images

Un grand nombre de logiciels d'édition d'images sont proposés pour les ordinateurs Macintosh et Windows et pour ce livre, aucun logiciel spécifique n'est requis. Les techniques que nous allons présenter sont universelles et doivent pouvoir être réalisées d'une manière ou d'une autre avec le programme que vous utilisez, si ses capacités ne sont pas trop limitées.

Le standard incontesté des logiciels d'édition d'images s'appelle Photoshop. Ce programme est relativement coûteux (1 000 euro), mais son constructeur Adobe en propose une version aux fonctions plus réduites (mais néanmoins très performante) pour 95 euro, qui s'appelle Photoshop Elements (**www.adobe.fr**). Ce logiciel est particulièrement bien adapté au travail sur les photographies.

Nous ferons fréquemment allusion à Photoshop dans ce livre, non seulement parce qu'entre ces deux versions, tous les types d'utilisateurs sont concernés, mais également parce que Photoshop est le logiciel régnant dont beaucoup d'autres s'inspirent, à la fois pour leur fonctionnement et pour la palette des outils qu'ils proposent.

L'autre logiciel auquel nous nous référerons souvent est Paint Shop Pro de Jasc Software. Vendu pour 160 euro, il constitue l'une des meilleures options de sa gamme de prix. Il est très complet et doté d'un grand nombre de fonctions spécialement destinées au traitement des images photographiques. Son avantage par rapport à Photoshop est sa souplesse, sa maniabilité et sa rapidité d'exécution. Les possesseurs de machines peu puissantes apprécieront en outre sa légèreté. En revanche, il ne peut prétendre au niveau de perfection de Photoshop dont les outils restent d'une efficacité inégalée.

La barre d'outils de Photoshop

D'autres logiciels existent dont certains sont gratuits, qu'ils soient téléchargeables sur Internet ou fournis à l'achat d'un appareil photo ou d'un scanner. Il serait tentant de faire l'article d'un programme de ce genre, mais en général, on peut difficilement cacher qu'ils sont très sérieusement limités. Beaucoup d'entre eux ont plutôt pour fonction d'initier les utilisateurs néophytes à l'imagerie numérique que de proposer de véritables outils de retouche.

Pour pouvoir travailler correctement sur vos images, vous devrez préférablement vous équiper d'un logiciel qui offre de réelles possibilités pour la manipulation des images. Parmi les critères essentiels, votre logiciel devra permettre d'utiliser des calques et de dissocier les couches de couleur des images, il devra proposer des filtres d'accentuation et de flou ainsi que différents filtres de réglage des couleurs (luminosité/contraste, teinte/saturation/luminosité), enfin des outils de retouche permettant de dupliquer des portions de l'image, de pousser les couleurs existantes, d'assombrir ou d'éclaircir des zones en utilisant un pinceau, etc.

Chapitre 4

Luminosité et couleur

Cette fois, il est temps de mettre la main à la pâte ! Dans ce chapitre et les deux suivants, nous allons aborder les techniques générales qui consistent à régler la luminosité, la couleur et l'équilibre des tons dans les images. Ces opérations correspondent généralement aux premières étapes du traitement des photos. En tout premier lieu, vous considérerez par exemple si votre photographie est sous-exposée ou surexposée. Avant de pouvoir procéder à la correction des couleurs ou à des retouches locales, vous devez restituer à l'image sa luminosité naturelle.

Ces opérations peuvent être effectuées de différentes manières (par exemple en utilisant des calques de réglage, un outil que nous présenterons dans le chapitre 11), mais quel que soit l'outil utilisé (simple ou sophistiqué), il s'appuie le plus souvent sur le système du *filtrage*.

Les filtres sont des outils proposés par les logiciels d'édition d'images dont la fonction consiste à analyser chacun des pixels de l'image afin de les modifier d'après des critères que vous aurez établis. La première gamme de filtres à laquelle vous aurez recours est celle des filtres de réglage des couleurs. Le filtre le plus classique que proposent tout les programmes est le filtre Luminosité/Contraste.

attention

Avant de toucher le moindre pixel de vos images, enregistrez-en systématiquement une copie dans un format sans perte (par exemple, au format TIFF). Votre image de départ, aussi catastrophique qu'elle soit, est toujours la plus riche en informations.

Toutes les opérations de retouche que vous effectuerez consistent systématiquement à améliorer la qualité de l'image en exploitant les informations qui y sont déjà présentes. Les traitements que vous réaliserez ne peuvent faire apparaître de nouveaux détails qui n'existaient pas préalablement et risquent souvent bien au contraire d'en faire disparaître quelques-uns.

Même si l'apparence d'origine de votre photographie vous paraît bien moins agréable que celle que vous obtenez après avoir appliqué des filtres, considérez qu'elle est toujours plus riche. Il est donc important d'en conserver une copie, d'abord par sécurité, mais également pour que vous puissiez retrouver les détails d'origine si vous découvrez par la suite de nouvelles techniques de retouche ou si vous souhaitez effectuer des essais en traitant votre image différemment. Dès qu'un filtre est appliqué, votre image originale n'existe plus : vous travaillez à présent sur une version dénaturée.

4.1   Luminosité/Contraste

Le filtre Luminosité/Contraste (dans Photoshop Elements, choisissez Ajustement ⇒ Luminosité/Contraste ⇒ Luminosité/Contraste ; dans Photoshop, choisissez Image ⇒ Réglages ⇒ Luminosité/Contraste ; dans Paint Shop Pro, choisissez Couleurs ⇒ Ajuster ⇒ Luminosité/Contraste) permet de corriger le niveau de luminosité des images. Dans la plupart des cas, on y fait appel pour améliorer des photographies sous-exposées, comme l'image de la fleur ci-dessous.

Le réglage de la luminosité et celui du contraste sont systématiquement regroupés dans le même filtre de réglage, quel que soit le logiciel que vous utilisez. En effet, le facteur de luminosité ne peut être utilisé seul, car il délave très rapidement les images. Lorsque vous augmentez la luminosité d'une image, vous décalez vers les tons clairs tous les pixels qu'elle contient. Ceux-ci se retrouvent alors regroupés dans un intervalle de tons réduit qui ne permet pas de faire jouer les oppositions d'ombres et de lumière. L'image paraît alors terne et délavée, comme le montre l'illustration suivante — tous ses tons sombres ont disparu et l'image est devenu grise.

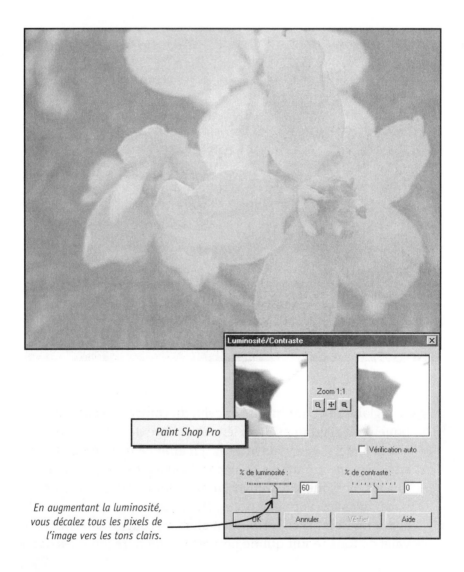

Paint Shop Pro

En augmentant la luminosité, vous décalez tous les pixels de l'image vers les tons clairs.

Pour contrecarrer cet effet, vous devez pousser le réglage du contraste, afin de préserver l'équilibre des ombres et des lumières.

Le réglage du contraste permet de contrebalancer l'aspect délavé de l'image.

Pour obtenir un résultat satisfaisant, vous devrez faire varier ces deux réglages jusqu'à trouver le meilleur équilibre possible. Le réglage de luminosité ne peut être poussé à l'extrême, car plus il augmente, plus le contraste doit être appuyé et ne peut dès lors générer que des oppositions grossières. Pour préserver les nuances de l'image, la correction doit être subtile. Malheureusement, cela dépend souvent de votre image de départ : plus elle est sous-exposée, plus vous devrez forcer le réglage de luminosité et plus les nuances de l'image seront écrasées. S'il est difficile de parvenir à un résultat correct, évitez tout excès : nous présenterons dans la suite de ce livre d'autres techniques de retouche qui pourront résoudre le problème sans détériorer excessivement les subtilités de l'image.

Dans tous les cas, il est indispensable que votre logiciel vous propose un aperçu en direct de l'effet du filtre pendant que vous effectuez vos réglages. En fin de compte, seule l'observation peut vous indiquer quels sont les niveaux les plus appropriés.

4.2 Teinte/Saturation

Le filtre Teinte/Saturation (dans Photoshop, choisissez Image ⇒ Réglages ⇒ Teinte/Saturation, dans Photoshop Elements, choisissez Ajustement ⇒ Couleur ⇒ Teinte/Saturation), appelé Teinte/Saturation/Luminosité dans Paint Shop Pro (Couleurs ⇒ Ajuster ⇒ Teinte/Saturation/Luminosité) vous permet d'ajuster la coloration de vos images.

Ce filtre fait appel au modèle de couleur TSL que nous avons rapidement présenté dans le premier chapitre. Le réglage de la teinte renvoie au système de représentation des couleurs sous la forme d'un disque des couleurs. Les différentes gammes de tons sont réparties de manière continue le long d'un anneau. Lorsque vous modifiez le réglage de teinte, vous faites tourner ce disque de couleur et modifiez la teinte correspondante de chacun des pixels de l'image. Par exemple, si vous pivotez le cercle de 180°, vous amènerez tous les tons jaunes à devenir bleus et tous les tons bleus à devenir jaunes (le bleu et le jaune se trouvent en effet à l'opposé l'un de l'autre dans le disque des couleurs).

Le réglage de teinte permet donc de décaler les tons de l'image. Le paramètre de saturation, pour sa part, définit l'intensité des couleurs. Plus la saturation est faible, plus les couleurs sont ternes et tirent vers le gris. Plus la saturation est élevée, plus les couleurs sont vives.

Le réglage de luminosité, qui complète ces deux composantes, permet de rendre les couleurs plus claires ou plus sombres.

Lorsqu'on travaille de manière globale sur les images, on ne fait généralement appel au filtre Teinte/Saturation que pour intervenir sur la saturation des couleurs. Si vous modifiez la luminosité et le contraste d'une image en couleurs, il est quelquefois intéressant d'en retoucher légèrement la saturation juste après. Le réglage de contraste permet en effet de restituer les ombres des images dont on force la luminosité, mais il n'empêche pas les couleurs elles-mêmes d'être ternes. N'hésitez donc pas à tester l'effet de ce filtre immédiatement après avoir utilisé le filtre Luminosité/Contraste, afin de rehausser les couleurs de vos images.

Le réglage de teinte s'utilise moins fréquemment, parce que son effet est plus extrême. En outre, il décale toutes les couleurs le long du spectre, ce qui produit rarement un résultat naturel sur l'image toute entière. Toutefois, il peut être très efficace quand on l'applique à une zone bien précise de l'image. Par exemple, si vous vous amusez à faire des montages photographiques en plaçant la tête d'un personnage sur le corps d'un autre, vous devrez vous assurer que la couleur de peau du nouveau visage correspond à celle du corps de l'ancien personnage. Vous jouerez donc d'abord sur le facteur de teinte pour retrouver la gamme de tons de la peau, puis sur le facteur de saturation afin de retrouver le piquant (ou le terne) des couleurs. Ensuite, vous réglerez la luminosité, de manière à rendre l'éclairage concordant.

4.3   Balance des couleurs

Le filtre Balance des couleurs (dans Photoshop, choisissez Image ⇒ Réglages ⇒ Balance des couleurs), appelé Rouge/Vert/Bleu dans Paint Shop Pro (Couleurs ⇒ Ajuster ⇒ Rouge/Vert/Bleu) vous permet de contrôler la proportion du mélange des couleurs RVB.

Il est souvent utile pour le traitement global des images, car certaines photographies prises dans la pénombre, en plus d'être sous-exposées (ce qui nécessite un travail préalable sur la luminosité et le contraste) possèdent également des teintes délavées qui tirent vers le bleu-vert et quelquefois dans les tons marrons-ocres (voire d'autres couleurs si une lumière artificielle a éclairé la scène). Dans ces cas, vous jouerez sur les paramètres généraux de couleur de l'image pour retrouver la teinte plus naturelle des objets. Si l'image est quelque peu verdâtre, vous pourrez diminuer légèrement la proportion de vert et pousser un peu le rouge. Cette retouche est souvent utile également pour les photos de plein air écrasées par une forte luminosité ambiante dont la teinte générale est marquée par une dominante.

Dans Photoshop, le filtre Balance des couleurs est plus sophistiqué, puisqu'il vous permet d'appliquer des réglages différents aux tons clairs, aux tons moyens et aux tons sombres. Cette distinction est appréciable, car les effets de dominante sont généralement beaucoup plus présents dans les tons clairs qu'ils ne le sont dans les tons sombres, ce qui justifie de traiter différemment ces parties de l'image.

4.4 Variantes

Photoshop et Photoshop Elements proposent également une fonction très intéressante appelée Variantes (dans Photoshop Elements, choisissez Ajustement ⇒ Variantes, dans Photoshop, choisissez Image ⇒ Réglages ⇒ Variantes).

Cette fonction vous présente une série de vignettes de votre image correspondant à différents types de réglages des niveaux de couleur. Il vous suffit de cliquer sur les vignettes pour augmenter les proportions des composantes de couleur correspondantes et afficher immédiatement le résultat. Lorsque vous opérez un choix, toutes les vignettes se mettent à jour et indiquent l'effet que vous obtiendrez en effectuant le réglage suivant. Par exemple, si vous cliquez sur la vignette Plus de rouge, l'ensemble des vignettes se teinte légèrement de rouge afin d'indiquer le résultat que vous obtiendrez en cliquant dessus pour appliquer le réglage suivant. Ce système est très intuitif et permet de suivre visuellement l'effet de vos réglages et permet d'obtenir de bons résultats lorsque vous ne vous sentez pas encore parfaitement à l'aise avec les outils de filtrage des couleurs.

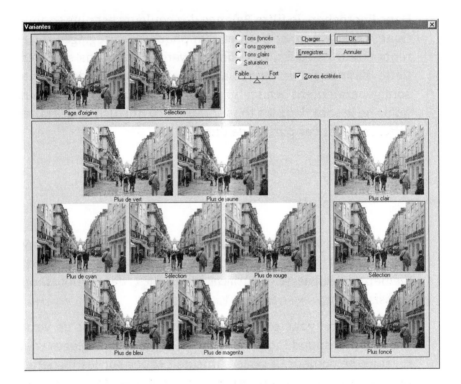

Chapitre 5

Accentuation et flou :
utilisation de filtres

Les filtres que nous avons présentés dans le chapitre précédent consistent globalement à influencer la coloration des images, en contrôlant les réglages de différentes composantes de couleur. Ces filtres agissent sur chaque pixel indépendamment (à l'exception du réglage de contraste du filtre Luminosité/Contraste).

D'autres filtres ont au contraire pour vocation de modifier le rapport entre les pixels de l'image et tiennent donc compte pour chacun des pixels de la couleur de ceux qui l'avoisinent. C'est le cas par exemple des filtres de flou ou d'accentuation, qui adoucissent les nuances de l'image ou les accentuent, dans un cas en estompant la différence entre les pixels adjacents, dans l'autre en l'exagérant.

5.1 Filtres de flou

Les logiciels d'édition d'images proposent généralement plusieurs filtres de flou qui permettent d'adoucir le relief des images. Les filtres sans réglages (dans le menu Filtre ⇒ Atténuation de Photoshop et de Photoshop Elements ou dans le menu Image ⇒ Flou de Paint Shop Pro) sont les plus simples, mais ils ne conviennent pas toujours, car leur effet ne peut être contrôlé. Le filtre Flou gaussien proposé dans les produits de la gamme Photoshop et dans Paint Shop Pro permet en revanche de contrôler le champ d'action du filtre en indiquant l'étendue sur laquelle doit porter l'effet d'adoucissement. Plus le rayon spécifié est petit, plus l'effet de flou sera subtil.

Les filtres de flou peuvent être utiles pour jouer sur les effets de profondeur dans les images, en renvoyant à l'arrière-plan des éléments, de manière à attirer l'attention sur les objets plus nets. Ces techniques nécessitent donc de travailler sur des sélections (le sujet de la deuxième partie de ce livre).

L'autre principale application des filtres flous est celle qui consiste à estomper les effets de trame, par exemple ceux que l'on peut remarquer dans les images tramées qui ont été scannées. Dans l'exemple de l'image de droite, le ciel est moucheté, car la photographie a été numérisée avec un scanner et l'original était tramé. L'aperçu en direct du filtre Flou gaussien nous permet de trouver le réglage idéal pour rendre au ciel son aspect lisse et uniforme.

Paint Shop Pro

Image originale

Après filtre flou

Pour bien faire, l'exemple précédent aurait nécessité que nous commencions par sélectionner la zone du ciel afin de ne faire porter l'effet de flou que sur cette partie de l'image : le sable, les maisons et les arbres auraient ainsi conservé leur netteté et leur aspect texturé, ce qui aurait produit un effet plus réaliste. Nous verrons dans la deuxième partie de ce livre comment opérer des sélections. Le principe est ensuite exactement le même, puisque vous appliquerez simplement vos filtres en conservant votre sélections active, de sorte que seule la zone sélectionnée de l'image sera affectée.

5.2 Filtres d'accentuation

L'autre famille de filtres qui fait écho à celle que nous venons de présenter est celle des filtres d'accentuation. Leur effet est exactement inverse : le logiciel analyse le contenu de l'image et accentue les contrastes entre les pixels afin de faire ressortir les contours des éléments.

Cette fois encore, votre logiciel vous proposera sans doute des filtres sans réglages (Accentuer et Accentuer davantage dans Paint Shop Pro ou Contours plus nets et Encore plus net dans Photoshop) et d'autres qui vous permettent de contrôler le procédé (Masque flou dans Paint Shop Pro et Accentuation dans Photoshop).

L'effet d'accentuation est généralement très efficace, même s'il ne permet pas de récupérer des photographies excessive-ment floues (le manque d'informations dans l'image ne permettant pas de recréer des lignes nettes). Dans les deux pages suivantes (page 72 et 73), vous pourrez observer un exemple d'application du filtre d'accentuation classique (sans réglages). L'image originale était très floue et difficilement utilisable. Après application du filtre, elle a retrouvé sa netteté et devient présentable.

Cet exemple a évidemment été choisi en conséquence. L'effet d'accentuation radical que l'on obtient au moyen d'un filtre d'accentuation convient particulièrement bien aux surfaces texturées, car l'aspect granulé du rendu contribue au réalisme de l'effet de matériau (pierre, bois, feuillages, etc.). Ici, l'aspect poreux de la pierre masque complètement les imprécisions de l'effet du filtre.

En revanche, les filtres d'accentuation sont beaucoup plus difficiles à contrôler et rendent des résultats bien moins intéressants lorsqu'on les applique à d'autres types de surfaces, comme des zones de ciel, des visages ou tout autre objet naturellement lisse qui risque de présenter une apparence mouchetée après le traitement.

Le plus souvent, on préfère donc créer préalablement des sélections afin de limiter les effets du filtre aux éléments de l'image qui s'y prêtent le mieux. On peut également utiliser des sélections pour appliquer le filtre avec différents réglages d'intensité selon les zones de l'image.

Image originale floue

Après filtre Accentuer

5.3　**Filtres artistiques**

Les filtres peuvent servir à rendre à vos images un réalisme dont les a privé la qualité d'origine de la photo, mais ils peuvent également offrir un moyen de créer des images plus fantaisistes.

Le logiciel de référence en matière de filtres est Photoshop, non seulement à cause des filtres intégrés qu'il propose (dont la qualité de traitement est toujours remarquable), mais également parce qu'un grand nombre de fabricants de logiciels ont développé des centaines de filtres externes pour ce programme. En outre, le système de filtrage de Photoshop s'est établi comme un standard puisqu'il peut être utilisé avec un certain nombre d'autres logiciels (par exemple, Fireworks vous permet d'utiliser des plug-ins de filtres Photoshop).

Certains filtres imitent les effets de différentes techniques artistiques, comme l'aquarelle, le dessin au crayon ou la peinture à l'huile. D'autres peuvent être utilisés pour traiter de manière réaliste une portion d'une image afin de réaliser des montages (par exemple en utilisant le filtre Verre présenté page 79, pour reproduire l'effet granulé d'une vitre, ou en utilisant des filtres de souffle qui donnent à l'image un aspect animé).

La photographie de la page de droite correspond à l'image originale à laquelle nous avons appliqué quatre filtres différents dont vous pourrez observer le rendu dans les quatre pages suivantes.

Pour connaître ces différents filtres, la méthode la plus simple est de les tester avec différentes images. Effectuez vos propres expériences afin de découvrir leur fonctionnement.

Image originale

Crayon de couleur

Pinceau sec

Cristallisation

Verre

Chapitre 6

Traitement des niveaux

Les filtres de réglage des couleurs que nous avons présentés dans le chapitre 4 ont leurs limites, car ils manipulent l'image comme un bloc : lorsque vous augmentez le niveau de luminosité d'une image avec le filtre Luminosité/Contraste, vous transposez uniformément les valeurs de luminosité de chacun de ses pixels.

Or, vos images n'auront souvent pas simplement le défaut d'être globalement trop sombres ou trop claires : leurs niveaux de luminosité seront plutôt mal répartis. Telle photo peut être parfaite au niveau des tons clairs et très sous-exposée dans les tons moyens. En augmentant sa luminosité de manière linéaire, vous corrigerez le défaut des tons moyens, mais vous rendrez excessivement blanches les zones claires.

Les logiciels d'édition d'images proposent un certain nombre d'outils pour répondre à ces problèmes. Dans ce chapitre, nous considérerons deux d'entre eux : le réglage du facteur gamma et le filtre Niveaux. Le principe de fonctionnement de ces deux outils est également à l'œuvre dans plusieurs autres filtres, aussi nous permettront-ils d'expliquer des mécanismes généraux que vous aurez la possibilité d'exploiter dans de nombreux autres contextes.

6.1 Le facteur gamma

Le facteur gamma est un réglage qui permet de modifier la luminosité des tons moyens plus fortement que les tons sombres et les tons clairs. Il fait également partie des paramètres du filtre Niveaux que nous allons étudier dans la suite de ce chapitre, mais il convient d'en comprendre d'abord le fonctionnement de manière isolée, avant de passer à l'examen de ce filtre plus complet.

Paint Shop Pro propose un réglage spécial de correction gamma des images (Couleur ⇒ Ajuster ⇒ Correction gamma). Lorsque vous accédez à la boîte de dialogue Correction Gamma, vous voyez apparaître trois curseurs qui se déplacent ensemble (par défaut, le même réglage est ainsi appliqué aux trois couches de couleur RVB).

Avant toute correction, le facteur gamma est de 1. Cette valeur indique qu'aucun des niveaux de luminosité de l'image n'est affecté. La courbe de transformation est alors linéaire : à chaque niveau de luminosité de l'image d'origine correspond le même niveau dans l'image résultante.

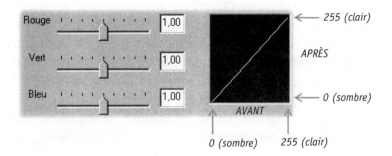

Image d'origine

Le réglage du facteur gamma consiste à définir un niveau de luminosité dans l'image d'origine qui sera ramené au niveau du gris moyen dans l'image modifiée. C'est ce niveau de luminosité ciblé qui sera donc le plus fortement modifié. Plus on progresse vers les tons sombres ou les tons clairs, moins la modification est importante, le reste des valeurs de luminosité se répartissant dans les intervalles modifiés.

Le réglage gamma proposé par Paint Shop Pro est un peu particulier, puisqu'il propose une répartition progressive qui consiste à transposer plus fortement les tons sombres.

La courbe affichée par Paint Shop Pro lorsque l'on diminue le facteur gamma montre que les différents niveaux ne sont pas affectés de la même manière : tous les tons sont assombris, mais ils sont plus fortement affectés au niveau des tons sombres qu'ils ne le sont au niveau des tons clairs. Le point d'inflexion de la courbe se situe au niveau du gris moyen.

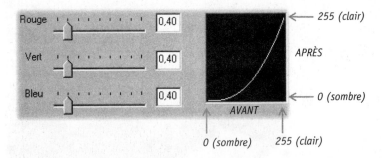

L'image présentée dans la page de droite correspond à un réglage gamma de 0,34 appliqué à l'image de la page 83. Comme l'indiquait la courbe du graphique, les tons moyens et sombres ont été très fortement assombris, tandis que les zones les plus claires ont été moins fortement affectées.

Gamma : 0,34

Dans la page de droite, nous avons utilisé cette fois un réglage gamma inverse (facteur gamma supérieur à 1), afin d'augmenter la luminosité moyenne de l'image.

Comme vous pouvez le remarquer en observant l'image et le vérifier sur la courbe graphique, les tons sombres ont brutalement été ramenés vers les tons clairs, tandis que les tons clairs ont plus faiblement été affectés. On parvient ainsi à augmenter considérablement le niveau de luminosité générale de l'image, sans pour autant transformer les tons clairs en pixels de blanc pur. Les points extrêmes du spectre restant fixes (voir le graphique), vous remarquerez en outre que les pixels les plus foncés de l'image le sont restés (au niveau des portes), alors qu'ils seraient devenus gris clairs en utilisant un traitement linéaire de la luminosité.

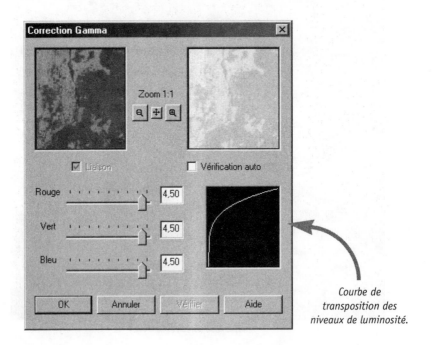

Courbe de transposition des niveaux de luminosité.

Gamma : 4,50

6.1.1. **Exemple de réglage gamma de la luminosité**

L'outil de correction gamma proposé par Paint Shop Pro est particulièrement utile lorsqu'il s'agit de corriger la luminosité de photographies sous-exposées prises à contre-jour. Le principal problème avec ce type d'images tient à ce qu'on doit éclaircir fortement l'image alors que certaines zones sont déjà très claires, comme dans l'exemple ci-dessous.

Dans un cas de ce genre, le filtre Luminosité/Contraste auquel on aurait normalement fait appel produit un effet désastreux. En augmentant la luminosité comme l'exigent les zones les plus sombres, on écrase complètement les nuances des zones claires, brusquement transformées en zones blanches, comme le montre l'exemple suivant. Ce problème ne peut pas être compensé par le réglage du contraste, qui ne parvient à préserver que des nuances mieux prononcées.

Le réglage de correction gamma permet d'augmenter la luminosité de l'image en affectant le moins possible les tons clairs. En reprenant l'image de la page précédente, nous avons utilisé un réglage gamma de 2,70 qui permet d'augmenter très fortement la luminosité des zones sombres. On parvient ainsi à faire réapparaître des zones indiscernables dans l'image d'origine, et cela sans écraser les nuances délicates de l'éclairage du ciel.

La courbe de transposition des niveaux montre de quelle manière les tons de l'image ont été traités, les tons clairs étant beaucoup moins fortement affectés que les tons sombres.

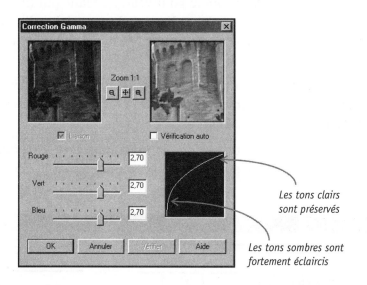

Les tons clairs
sont préservés

Les tons sombres sont
fortement éclaircis

6.2 Le filtre Niveaux

Le filtre Niveaux est un outil classique de traitement de la luminosité des images. Son principe de fonctionnement est quasiment le même avec tous les logiciels — trois points doivent être définis : le point noir, le point gris et le point blanc.

Le point noir définit le niveau de luminosité (dont la valeur est comprise entre 0 et 256) de l'image d'origine qui doit être ramené au niveau du noir pur (niveau de luminosité 0). Toutes les valeurs de luminosité d'origine inférieure à ce point seront alors rendues complètement noires.

Le point blanc définit le niveau de luminosité de l'image d'origine qui doit être ramené au niveau du blanc pur (niveau de luminosité 255). Toutes les valeurs de luminosité de l'image d'origine supérieures à ce point seront rendues complètement blanches.

Enfin, le point gris correspond au niveau de luminosité de l'image d'origine qui doit être ramené au niveau du gris moyen (niveau de luminosité 128).

Avant qu'aucune modification ne soit apportée, les points noir, gris et blanc correspondent aux valeurs 0, 128 et 255.

Point noir   Point gris   Point blanc

Lorsque le point noir est déplacé (vers une valeur de luminosité supérieure à sa valeur naturelle de 0), une plage de tons sombres est définie qui sera transformée en noir pur une fois le filtre appliqué. De la même manière, lorsque le point blanc est déplacé vers les valeurs inférieures à 255, une plage de tons clairs est définie qui sera transformée en blanc pur.

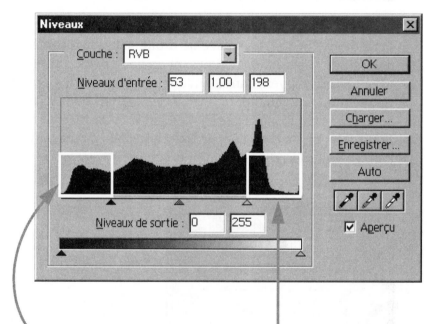

Toute la gamme de ces tons sombres
sera transformée en noir pur

Toute la gamme de ces tons clairs
sera transformée en blanc pur

Le déplacement du point gris permet de définir la transposition des tons moyens, selon le même principe général que nous avons expliqué au sujet du facteur gamma dans la section précédente.

Le filtre Niveaux n'est proposé dans Paint Shop Pro que sous la forme d'un calque de réglage (Calques ⇒ Nouveau calque de réglage ⇒ Niveaux). Il est proposé sous la forme d'un filtre dans Photoshop (Image ⇒ Réglages ⇒ Niveaux) et dans Photoshop Elements (Amélioration ⇒ Luminosité/Contraste ⇒ Niveaux), en plus d'être proposé parmi les options de calques de réglage.

Considérez l'image de la page de droite. Elle est dominée par des tons de gris clair. En définissant un point blanc à 127 (équivalent au gris moyen) dans Paint Shop Pro, nous indiquons que nous souhaitons que toute la gamme des tons dont la valeur de luminosité est supérieure à 127 soit transformée en blanc. Dans notre photo d'origine, il s'agit de la plus grande partie de l'image, seuls les arbres étant plus sombres.

Le point blanc est fixé à 127, soit à la valeur de luminosité du gris moyen.

Image originale

Comme le montrent les deux spectres d'entrée et de sortie ci-dessous, tous les tons clairs jusqu'au gris moyen sont alors transformés en blanc pur.

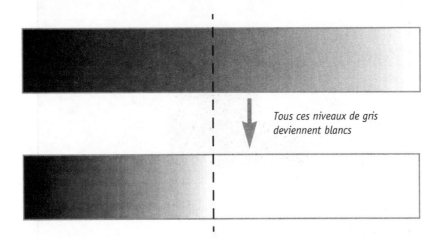

Tous ces niveaux de gris deviennent blancs

Le résultat obtenu en appliquant notre réglage du filtre Niveaux est présenté dans la page de droite. Comme vous pouvez le remarquer, nous avons préservé les nuances que l'image proposait dans la moitié inférieure du spectre (des tons sombres au gris moyen), tandis que tout le reste de l'image a été brusquement remplacé par du blanc.

Ce réglage est une sorte de version en niveaux de gris d'un autre filtre appelé Seuil qui consiste à indiquer un niveau de luminosité en deçà duquel les pixels sont rendus blancs et au-dessus duquel ils deviennent noirs.

Seuil à 127

Partie

2

Techniques de
sélection

Chapitre 7

Outils de sélection

Toutes les parties d'une image ne réclament pas le même type de traitement. C'est déjà ce que nous avons vu en considérant comment la couleurs ou la luminosité des pixels devaient quelquefois être modifiées de manière non linéaire, afin que les zones sombres ou les zones claires de l'image soient moins fortement affectées que les autres.

Dans certains cas, il convient de faire la distinction non plus entre des niveaux de luminosité ou des gammes de teintes, mais entre les différents éléments qui constituent la scène de l'image. Comme nous l'avons vu au sujet des filtres de flou ou d'accentuation, il est souvent malvenu d'appliquer le même réglage à une portion de ciel qu'à la surface d'un bâtiment. Si vous souhaitez rendre flous certains éléments et en laisser d'autres nets, vous devrez forcément les traiter séparément.

Pour délimiter une zone de l'image sur laquelle vous souhaitez opérer, vous devez créer une sélection. Un nombre incalculable d'opérations de retouche nécessitent de travailler avec des sélections, dont certaines sont très complexes. Or, le problème principal n'est pas de parvenir à réaliser une sélection (puisqu'on peut toujours travailler pixel par pixel), mais de la réaliser très rapidement. S'il vous faut plus d'une demi-heure pour délimiter le contour accentué d'un bâtiment, vous serez limité quant aux retouches que vous pourrez effectuer, car vous n'aurez sans doute pas des heures à consacrer à chacune de vos images. Si vous parvenez à sélectionner le même bâtiment en une trentaine de secondes, vos possibilités d'intervention s'étendront considérablement.

Au cours des trois chapitres qui composent cette partie, nous présenterons les principales techniques de sélection que vous pourrez utiliser. Vous découvrirez les différents outils qui sont à votre disposition et la manière de les employer, puis vous apprendrez à combiner vos sélections et à les enregistrer. Dans le dernier chapitre, vous découvrirez également comment exploiter des techniques plus avancées, comme l'adoucissement des contours de sélection et le masquage, qui vous permettront de jouer sur des effets de semi-transparence.

7.1 Lasso

L'outil de sélection le plus rudimentaire est le Lasso, que la grande majorité des logiciels d'édition d'images proposent dans leur boîte à outils. Vous y ferez très fréquemment appel, et cela quel que soit votre niveau, car il s'agit d'un outil essentiel.

Son principe de fonctionnement est très simple : vous dessinez dans l'image un contour fermé et lorsque vous relâchez le bouton de la souris, la sélection que vous avez tracée devient active.

Considérez l'image présentée dans la page de droite. Au pied de la statue, se trouve un pigeon, que vous souhaitez sélectionner. Parce que cet élément de l'image est petit, vous devrez en premier lieu agrandir l'image en opérant un zoom avant.

L'élément que vous souhaitez sélectionner

Une fois l'image suffisamment agrandie, vous pourrez suivre le contour de l'objet au pixel près. La précision de la sélection dépend de vous, car cet outil se manie exactement comme un pinceau ou un crayon.

Une fois que le contour est tracé et que vous êtes revenu à votre point de départ, validez la sélection en relâchant le bouton de la souris.

Quasiment tous les logiciels d'édition d'images utilisent la même représentation pour matérialiser le contour de sélection : une ligne en pointillé animée.

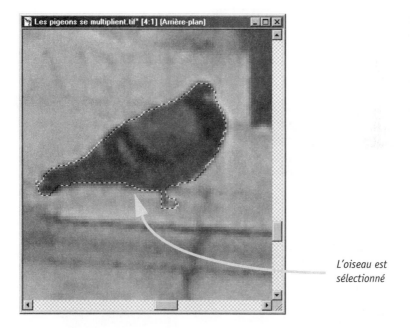

L'oiseau est sélectionné

Une fois qu'un objet est sélectionné, il peut être manipulé comme une entité séparée. Vous pouvez le remplir de blanc, lui appliquer un filtre ou peindre dessus sans affecter le reste de l'image. Le contour de la sélection définit strictement la zone à l'intérieur de laquelle les effets de vos manipulations prennent effet.

Ce mécanisme est très pratique, notamment parce qu'il peut servir à protéger l'image des imprécisions de vos mouvements. Lorsqu'une sélection est active, le trait de pinceau que vous appliquez à l'image s'interrompt aussitôt que vous en sortez. Afin de vous assurer que vous ne déborderez pas sur une zone que vous souhaitez préserver, vous utiliserez donc une sélection.

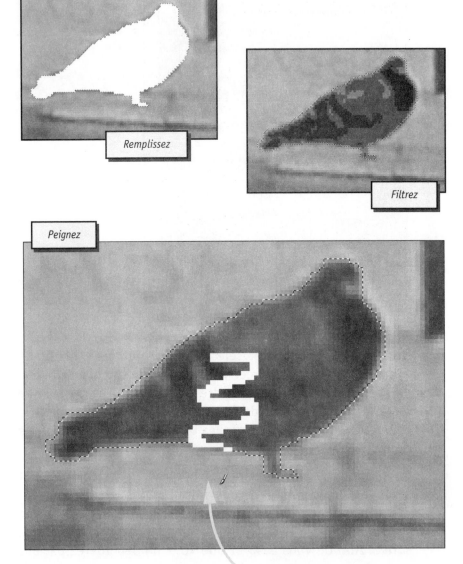

Remplissez

Filtrez

Peignez

Le trait s'interrompt dès que vous
sortez de la sélection

Les éléments que vous sélectionnez peuvent également être manipulés comme des objets graphiques indépendants de l'image d'origine, en étant copiés et collés à différents endroits de l'image.

Après avoir sélectionné notre pigeon, nous pouvons le copier puis placer cette copie de la sélection dans une autre zone de l'image.

En répétant ce processus un certain nombre de fois, on parvient à transformer notre tranquille statue en un véritable pigeonnier...

7.1.1. **Lasso magnétique**

Le Lasso magnétique est une variante intelligente du lasso qui vous permet de solliciter l'aide de votre logiciel pour réaliser vos sélections. Dans bien des cas, vous chercherez à sélectionner des éléments de l'image qui se distinguent de ce qui les entoure par un contour bien dessiné. Dans ce cas, le repérage de la ligne du contour peut être effectué par le logiciel lui-même.

Photoshop et Paint Shop Pro ne proposent pas exactement le même modèle de Lasso magnétique. Dans Photoshop, le Lasso magnétique se manipule en cliquant lorsque vous souhaitez fixer un point du contour de sélection et en laissant le logiciel retrouver les contours lorsque vous faites glisser le curseur avec le bouton de la souris relâché. La sélection se referme en revenant au point de départ et en cliquant dessus lorsque le curseur fait apparaître un petit cercle.

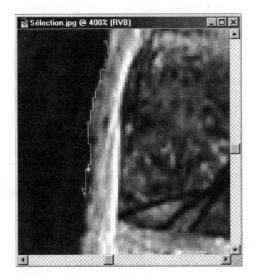

Paint Shop Pro propose une option appelée Contour intelligent pour son outil Lasso, qui correspond au Lasso magnétique de Photoshop. Le principe de fonctionnement est un petit peu différent et plus contrôlé, puisque vous cliquez puis faites glisser le curseur pour délimiter un rectangle de sélection qui encadre le contour à épouser. Lorsque vous cliquez à nouveau, Paint Shop Pro retrouve le contour en partant du principe qu'il se trouve situé dans le cadre que vous avez délimité.

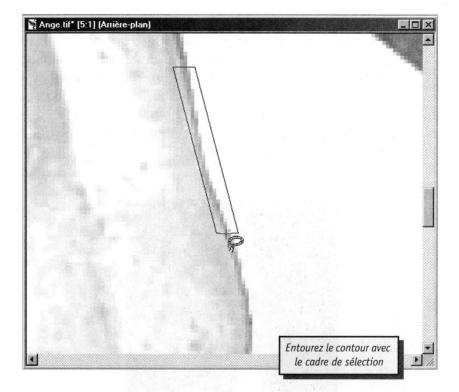

Entourez le contour avec
le cadre de sélection

L'outil Lasso magnétique n'est véritablement utile que lorsque vous souhaitez créer très rapidement une sélection d'un élément dont les contours sont clairement marqués dans l'image. En d'autres termes, il n'est utile que lorsque la sélection est déjà très facile. Le logiciel vous aide alors à accélérer la manœuvre.

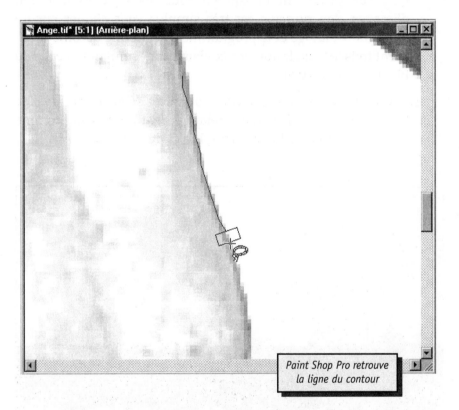

Paint Shop Pro retrouve
la ligne du contour

D'autres options sont quelquefois proposées avec l'outil Lasso, comme la possibilité d'opérer des sélections de formes géométriques en contraignant le Lasso à tracer des lignes droites. Cette option est proposée par Photoshop et Paint Shop Pro.

7.2 Baguette magique

L'outil Baguette magique est un autre outil classique de sélection que proposent quasiment tous les logiciels d'édition d'images. Son principe est très simple : vous cliquez sur un point dans l'image et le programme sélectionne automatiquement tous les pixels dont les couleurs sont similaires à celle du pixel sur lequel vous avez cliqué.

Cet outil est idéal lorsque vous souhaitez sélectionner un bloc entier de l'image de couleur relativement homogène, comme la zone centrale de la photographie ci-dessous.

La plage des couleurs devant être considérées comme similaires est définie par un réglage appelé Tolérance. Plus la tolérance que vous définirez sera élevée, plus le programme inclura des variantes éloignées de la couleur exacte sur laquelle vous avez cliqué.

Photoshop ne propose qu'une seule méthode de sélection des couleurs pour la Baguette magique. Paint Shop Pro permet en revanche de sélectionner les pixels d'après leur valeur RVB, leur teinte ou leur luminosité. Le but est alors de choisir à chaque fois le critère le plus approprié pour définir ce qui rapproche les pixels à sélectionner. A titre d'exemple, nous avons cliqué au centre de notre image en choisissant le facteur de teinte, avec une tolérance de 33.

Comme vous le voyez, ce procédé n'a pas marché : des nuages de pixels éparses ont été sélectionnés. Si on pousse le niveau de tolérance afin de sélectionner plus de pixels, ce sont des portions du ciel et de la mer qui finissent par être incluses.

En fait, malgré l'apparente uniformité de la zone centrale qui paraît être entièrement noire, toutes sortes de teintes y sont contenues, comme nous le verrons dans un instant. Le facteur de teinte est d'ailleurs le plus mauvais choix pour sélectionner une zone très sombre, car le noir (niveau de luminosité faible) et la teinte (emplacement sur le disque des couleurs) n'ont aucun rapport entre eux.

Dans le cas de notre image, la solution consistait à choisir le facteur de luminosité, qui est le principal critère qui distingue les pixels que nous souhaitons sélectionner de tous les autres pixels de l'image. En choisissant cette option et en conservant une tolérance de 33, il suffit d'un clic pour sélectionner instantanément la silhouette exacte de toute la zone centrale.

Lorsque vous utilisez la Baguette magique, vous devez toujours vous demander en quoi la zone que vous cherchez à sélectionner se distingue des autres zones de l'image. Si la zone est entièrement rouge alors que tout le reste de l'image est bleu, vous choisirez de faire porter la correspondance sur le paramètre de teinte. Dans Photoshop, qui ne vous propose pas de critère de sélection, vous pourrez recourir à toutes sortes d'astuces, comme en opérant votre sélection sur l'une des couches RVB ou TSL qui isole mieux l'élément à sélectionner.

Photoshop distingue deux modes d'utilisation de la Baguette magique, selon que vous cochez ou décochez l'option Pixels contigus. Lorsque l'option est décochée, les pixels sont sélectionné d'après la similitude des couleurs dans toute la surface de l'image. Lorsqu'elle est cochée, seule une zone de pixels contigus est sélectionnée, tous les pixels similaires isolés de la zone se trouvant exclus.

Une fois que la zone centrale de notre image a été sélectionnée, nous pouvons révéler le secret de notre premier échec. En appliquant à cette zone un filtre Luminosité/Contraste, on parvient à faire apparaître les détails qui étaient imperceptibles quand la zone était trop sombre (voir page suivante). Les bâtiments, les arbres et les bateaux qui se confondaient dans l'obscurité possèdent toutes sortes de couleurs disparates qui correspondent à des points différents du disque des couleurs.

7.3　Autres outils de sélection

Nous avons présenté les outils de sélection les plus classiques, mais différents logiciels proposent également d'autres outils. Photoshop en possède un certain nombre, dont certains sont particulièrement sophistiqués. L'outil Gomme d'arrière-plan vous permettra par exemple d'effacer les portions qui entourent un objet à isoler. Vous ferez glisser le cercle de la gomme en plaçant sa croix centrale sur la zone à effacer et en incluant dans le cercle le bord de la zone à préserver. Photoshop détecte le contour de la forme le long de laquelle vous faites glisser le curseur et efface les éléments qui la borde de manière à l'isoler.

La commande Plage de couleurs est également une excellente fonctionnalité proposée par Photoshop. Elle correspond à une sorte de Baguette magique dotée d'un aperçu en direct. Le principal défaut de la Baguette tient en effet à ce qu'elle demande une certaine maîtrise : chaque réglage inadapté nécessite de retourner modifier les réglages dans la barre d'outils avant de revenir à l'image pour cliquer à nouveau. Dans la boîte de dialogue Plage de couleurs (Sélection ⇒ Plage de couleurs), vous pourrez cliquer sur un pixel comme vous le feriez avec la Baguette magique, puis faire glisser le curseur de tolérance et observer en direct la sélection résultante.

Photoshop propose également un autre outil de sélection très pointu grâce à la commande Extraire (Image ⇒ Extraire), dont le principe consiste à délimiter une zone grâce à des outils de dessin et à définir un contour de sélection, avant de laisser à Photoshop le soin de distinguer d'après ces informations ce qui correspond à l'élément et ce qui correspond à l'arrière-plan. La technique est plus proche du masque que de la sélection pure, mais comme nous le verrons dans le chapitre 9, toute sélection est un masque et tout masque est une sélection.

Chapitre 8

Sélections combinées

Il est souvent difficile de sélectionner un objet en une seule fois. En pratique, s'il fallait toujours y arriver d'un coup, les sélections seraient très longues à effectuer. L'une des meilleures techniques pour réaliser des sélections rapides consiste à ajouter ou soustraire des sélections à une sélection existante.

D'autres techniques peuvent également vous faciliter la tâche, comme l'inversion, la contraction ou l'extension du contour de sélection. Nous les examinerons une à une dans ce chapitre.

8.1 Addition et soustraction

Tous les outils qui vous permettent d'opérer une sélection peuvent être utilisés pour ajouter la nouvelle sélection à la sélection active au lieu d'en créer une entièrement nouvelle.

En général, la méthode consiste à choisir l'outil de sélection avec lequel vous souhaitez travailler et à l'utiliser en maintenant une touche spéciale enfoncée. Certains logiciels (comme Photoshop et Photoshop Elements) vous permettent également de cliquer préalablement sur une option d'ajout de sélection, afin de pouvoir travailler ensuite avec votre outil exactement comme vous le feriez lorsque vous créez une nouvelle sélection.

Afin que vous puissiez vous repérer facilement, votre logiciel vous indiquera par la forme de son curseur le type d'opération que vous allez effectuer.

Les curseurs standard que vous proposent Paint Shop Pro et Photoshop pour créer une nouvelle sélection avec l'outil Lasso sont les suivants :

Lorsque vous appuyez sur la touche Maj, le curseur se transforme en affichant un petit signe plus (**+**) afin d'indiquer que vous allez ajouter votre sélection à la sélection existante.

Photoshop et Photoshop Elements vous permettent aussi de cliquer sur l'icône d'ajout de sélection dans la barre d'options de l'outil, afin que vous n'ayez pas besoin d'enfoncer la touche Maj pendant que vous travaillez sur l'image.

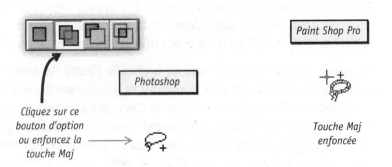

L'un des grands intérêts de la technique d'ajout de sélections tient à ce que les éléments que vous chercherez à sélectionner se composent souvent de plusieurs zones qui se prêtent chacune mieux à une technique de sélection particulière. Telle zone pourra se sélectionner facilement avec la baguette magique, tandis que telle autre le sera plus aisément grâce au Lasso magnétique.

Considérez l'exemple de la photographie ci-dessous. La Baguette magique ne permet pas de sélectionner parfaitement en un clic tout le bloc du rocher, mais elle nous permet d'en délimiter instantanément le contour, seuls quelques pixels épars restant désélectionnés.

Pour sélectionner précisément tout le rocher en suivant son contour au Lasso ou au Lasso magnétique, il aurait fallu y passer près d'une minute. Avec la baguette magique, le résultat est instantané. Les pixels qui n'ont pas été sélectionnés à l'intérieur du contour peuvent ensuite l'être très facilement, en les encerclant au Lasso, de manière très imprécise, avec la touche Maj enfoncée.

Si à l'inverse, une sélection inclut quelques pixels en trop, vous pourrez créer de la même manière votre sélection grossière, puis éliminer les petites zones parasites en soustrayant votre nouvelle sélection. Dans Photoshop, vous appuierez sur la touche Alt et dans Paint Shop Pro, sur la touche Ctrl.

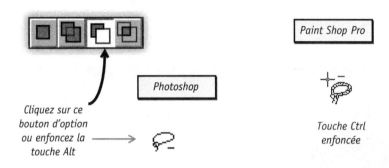

Photoshop propose également une autre option de sélection très astucieuse, qui consiste à conserver la zone d'intersection entre votre nouvelle sélection et la sélection active.

8.2 Inversion

L'autre importante technique de sélection à laquelle vous ferez fréquemment appel pour accélérer votre travail est celle de l'inversion des sélections. Considérez l'exemple de notre dernière photographie. Nous souhaitons en sélectionner le ciel, mais des reflets de soleil couchant et les nuances d'ombres et de lumière des nuages nous le permettent difficilement. A l'opposé, le sable est d'un jaune ocre très homogène, tandis que le rocher, grâce à la méthode que nous venons d'indiquer, peut être sélectionné très rapidement. Pour sélectionner le ciel, nous allons donc sélectionner d'abord tous les autres éléments de l'image.

Notre rocher étant déjà sélectionné, nous avons cliqué sur le sable avec la Baguette magique en maintenant la touche Maj enfoncée. Instantanément, toute la zone du sable est ajoutée à la sélection. A présent, toute l'image est sélectionnée, à l'exception du ciel.

Arrivés à ce stade, nous n'avons plus qu'à intervertir la sélection. Dans Photoshop, Photoshop Elements et Paint Shop Pro, choisissez simplement l'option Intervertir du menu Sélection. Instantanément, toutes les zones de l'image qui étaient sélectionnées ne le sont plus, et toutes les autres le deviennent.

Zone sélectionnée

Zone sélectionnée

En combinant les méthodes d'inversion, d'intersection, de soustraction et d'addition, vous aurez la possibilité de recourir à toutes sortes d'astuces ingénieuses pour réaliser facilement et rapidement des sélections complexes.

8.3 Contraction et extension

Photoshop et Paint Shop Pro vous offrent également la possibilité d'affiner automatiquement une sélection existante en la contractant ou en l'agrandissant. Ces opérations sont les plus pénibles à réaliser manuellement, car si votre sélection est un cercle, l'opération qui vous permettrait de la rétrécir en soustrayant une bande d'un ou deux pixels tout le long de sa périphérie serait aussi pénible et aussi longue à réaliser que celle qui consisterait à recommencer entièrement la sélection.

L'option de contraction des sélections est également très utile lorsque vous souhaitez créer des sélections adoucies, comme nous le verrons dans le chapitre 9.

Dans Photoshop, Photoshop Elements et Paint Shop Pro, choisissez l'option Contracter du sous-menu Sélection ⇒ Modifier pour contracter vos sélections. Indiquez le nombre de pixels dont vous souhaitez réduire la sélection.

Pour étendre une sélection, choisissez l'option Dilater du même sous-menu dans Photoshop et Photoshop Elements. Dans Paint Shop Pro, choisissez Agrandir.

8.4 Exemple pratique

Considérons un exemple pratique. L'image présentée dans la page de droite est intéressante, mais elle est floue. Pour lui redonner plus de netteté, nous allons lui appliquer un filtre d'accentuation. Cependant, si nous intervenions sur l'image tout entière, nous donnerions au ciel un aspect texturé.

Pour éviter cet effet indésirable du filtre d'accentuation, nous devons créer une sélection afin de limiter la zone de l'image qui sera traitée. Au moment où nous appliquerons le filtre, le bâtiment et les colonnes devront être sélectionnés : en d'autres termes, tout, sauf le ciel. Pour faciliter l'opération de sélection, nous allons utiliser la technique d'inversion. Pour commencer, nous sélectionnons le ciel avec la Baguette magique. Un seul clic suffit, grâce à l'uniformité des tons bleus.

Zone sélectionnée

Le ciel étant parfaitement sélectionné, nous pouvons immé-diatement inverser la sélection. L'opération de sélection complète n'aura donc pris que quelques secondes.

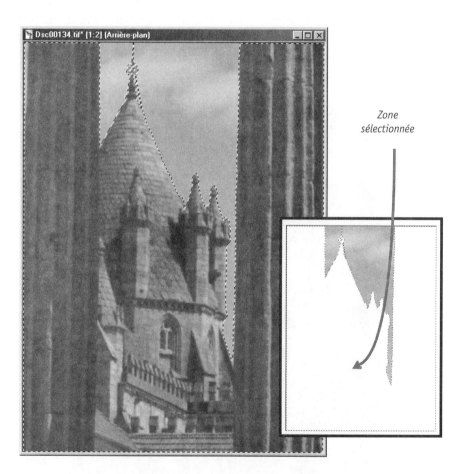

Zone
sélectionnée

Juste avant d'appliquer notre filtre, nous commençons par adoucir les contours de la sélection (une technique que nous présenterons dans le prochain chapitre). Cette modification a pour but d'éviter que notre intervention sur l'image ne se remarque trop nettement : le bâtiment rendu net et le ciel resté flou laisseraient en effet apparaître une frontière très marquée si nous utilisions notre sélection telle quelle. En adoucissant ses bords, on estompe progressivement l'intensité de l'effet à proximité de son contour, de sorte que notre intervention ne pourra pas se remarquer.

Ci-dessous, nous avons affiché deux versions de la zone du ciel de notre photographie : dans le premier cas, le filtre a été appliqué lorsque le bâtiment était sélectionné, afin de préserver le ciel. Dans le second, toute l'image a été traitée. Comme vous pouvez le remarquer, le ciel présente dans la deuxième version un aspect moucheté. En outre, comme nous n'avons pas utilisé de sélection, nous n'avons pas non plus exploité la technique d'adoucissement des contours. Du coup, la silhouette du globe en haut du clocher est exagérément prononcée, entourée d'un halo blanc.

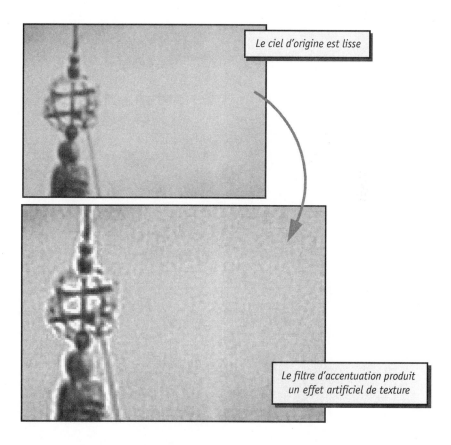

Le ciel d'origine est lisse

Le filtre d'accentuation produit un effet artificiel de texture

Chapitre 9

Techniques avancées

Dans ce chapitre, nous allons présenter trois techniques avancées liées au travail sur les sélections : l'enregistrement des sélections, l'adoucissement des contours (la création de sélections progressives) et le masquage.

Ces techniques s'avéreront particulièrement utiles lorsque vos sélections deviendront complexes ou lorsque vous souhaiterez manipuler des objets en les passant d'une image à une autre.

9.1 Enregistrer des sélections

Les sélections sont très fragiles : si par inadvertance, vous cliquez du mauvais bouton de la souris dans votre image, votre sélection disparaît. A la différence des motifs que vous peignez dans vos images, les sélections sont en effet des objets volatiles. En outre, deux sélections distinctes ne peuvent pas être actives en même temps. Lorsque vous souhaitez travailler avec une sélection puis une autre et revenir ensuite à la première, il est nécessaire que vous enregistriez vos sélections afin de pouvoir les retrouver par la suite.

Deux méthodes sont généralement proposées pour enregistrer les sélections : vous pouvez les enregistrer sur disque (en créant un fichier qui contient les informations relatives à votre contour de sélection) ou sur une couche alpha (semblable aux couches RVB qui composent vos images en couleur).

Dans le cas de l'enregistrement sur disque, votre sélection n'est pas liée à l'image dans laquelle vous l'avez créée : vous pourrez l'importer dans n'importe quelle autre image et l'utiliser comme bon vous semble.

Lorsque vous enregistrez votre sélection sur une couche alpha, vous la stockez parmi les informations spécifiques à votre image. Vous pourrez la retrouver en sélectionnant la couche sur laquelle elle est enregistrée et la réactiver en cliquant sur un bouton. L'intérêt de cette méthode tient à ce qu'elle permet de garder associées les images et leurs sélections, au lieu d'éparpiller des fichiers d'image et de sélection sur le disque. En outre, vous pouvez faire glisser une couche alpha d'une image à une autre, ce qui vous offre la possibilité de déplacer vos sélections mémorisées entre vos différentes images.

9.1.1. Enregistrer une sélection sur disque

Paint Shop Pro offre la possibilité d'enregistrer vos sélections sur disque, ce que Photoshop ne vous permet pas. Cette option est très utile, parce qu'elle permet de dissocier entièrement vos sélections des images sur lesquelles vous travaillez. Vous pourrez ainsi les utiliser dans un grand nombre d'images différentes, sans dépendre d'aucune image en particulier.

Cette méthode vous permettra par exemple de créer des objets de silhouette identique en copiant le contenu de votre sélection dans différentes images. Grâce à la méthode d'enregistrement sur disque, vous pourrez à tout moment retrouver une sélection enregistrée il y a plusieurs jours et l'utiliser sur de nouvelles images, sans avoir à ouvrir l'image qui la contient.

Pour enregistrer une sélection active dans Paint Shop Pro, choisissez Sélection ⇒ Enregistrer sur le disque et donnez un nom à votre fichier de sélection. Pour récupérer votre sélection, choisissez Sélection ⇒ Charger à partir du disque. Les fichiers de sélection sont enregistrés avec l'extension **.sel**.

9.1.2. **Enregistrer une sélection sur une couche alpha**

La technique d'enregistrement sur une couche alpha est à la fois plus complexe et plus souple. Elle consiste à représenter la zone sélectionnée par un motif blanc sur un fond noir. Cette technique reprend exactement le procédé des masques, que nous étudierons dans un instant : sur la couche, tout ce qui est noir correspond à une zone non sélectionnée et tout ce qui est blanc à une zone sélectionnée.

Photoshop et Paint Shop Pro proposent la même fonctionnalité d'enregistrement sur une couche alpha (dont Photoshop Elements se trouve malheureusement dépourvu), mais y donnent accès de manière différente.

Photoshop est le plus maniable des deux, car il permet de visualiser directement les couches de l'image dans la palette Couches (cette palette n'existe pas dans Photoshop Elements). Lorsqu'une sélection est active, vous pouvez l'enregistrer instantanément sur une couche de l'image en cliquant sur l'icône de mémorisation (▨) en bas de la palette Couches.

La sélection est mémorisée sur une couche (qui reste masquée)

Cliquez ici pour réactiver la sélection à partir d'une couche

Cliquez ici pour enregistrer la sélection sur une couche

Au lieu d'utiliser l'icône de la palette Couches, vous pouvez également choisir Sélection ⇒ Mémoriser la sélection dans la barre des menus.

Une couche supplémentaire s'ajoute en bas de la palette Couches qui représente en blanc la zone sélectionnée et en noir la zone non sélectionnée.

Pour réactiver une sélection mémorisée sur une couche, activez la couche en cliquant dessus dans la palette Couches, puis cliquez sur l'icône de récupération de la sélection (▣) ou choisissez Sélection ⇒ Récupérer la sélection dans la barre des menus.

Paint Shop Pro ne propose pas de palette Couches mais vous permet néanmoins d'enregistrer vos sélections de la même manière. Lorsque votre sélection est active, choisissez Sélections ⇒ Enregistrer sur une couche alpha.

La boîte de dialogue *Enregistrer sur la couche alpha* apparaît :

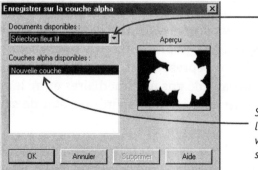

Sélectionnez l'image actuellement ouverte dans Paint Shop Pro que vous souhaitez utiliser pour enregistrer la sélection

Sélectionnez la couche de l'image dans laquelle vous voulez enregistrer la sélection

Comme Photoshop, Paint Shop Pro vous permet d'enregistrer autant de sélections que vous le souhaitez de cette manière. Pour récupérer une sélection enregistrée sur une couche alpha, choisissez Sélections ⇒ Charger depuis une couche alpha. Dans la boîte de dialogue qui apparaît, indiquez la couche dont vous souhaitez récupérer la sélection.

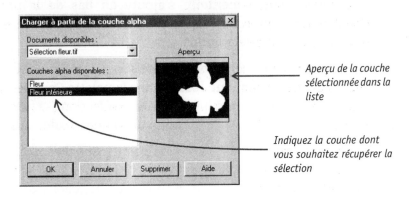

Aperçu de la couche sélectionnée dans la liste

Indiquez la couche dont vous souhaitez récupérer la sélection

Comme nous l'avons suggéré, le principe des couches alpha est exactement identique à celui des masques et permet donc de réaliser des sélections beaucoup plus sophistiquées que celles que nous avons considérées jusqu'à présent. Pour l'instant, nous n'avons envisagé que le cas ou un élément pouvait être sélectionné (représenté en blanc sur la couche alpha) ou ne pas l'être (représenté en noir sur la couche alpha). En fait, tous les niveaux de gris intermédiaires entre le blanc et le noir peuvent être utilisés pour définir un état de sélection partielle.

A titre d'exemple, nous avons repris notre photographie de fleur et créé une nouvelle couche alpha dans la palette Couches de Photoshop. Cette couche peut être peinte comme n'importe quelle image. Pour bien comprendre le fonctionnement de la sélection mémorisée sur les couches, nous avons rempli notre couche au moyen d'un dégradé allant du blanc (à gauche) jusqu'au noir (à droite).

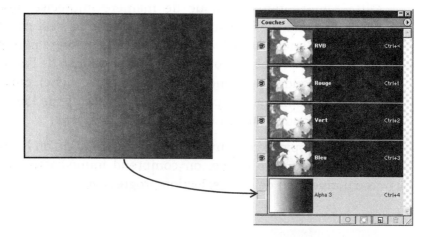

Comme avec n'importe quelle autre couche, nous récupérons ensuite la sélection en cliquant sur le bouton de récupération en bas de la palette Couches (⬚).

Photoshop affiche un rectangle de sélection englobant la portion la plus claire de la couche.

Cette représentation indique de manière imprécise quelle partie de l'image est sélectionnée et laquelle ne l'est pas. En fait, toute l'image est sélectionnée, mais de manière partielle et progressive : d'abord totalement (partie gauche de l'image, qui correspondait au blanc du dégradé sur la couche), puis de moins en moins jusqu'à pas du tout (partie droite de l'image, qui correspondait au noir du dégradé sur la couche).

Lorsqu'on copie le contenu de cette sélection et qu'on le colle dans une nouvelle image, on comprend immédiatement le fonctionnement de cette sélection progressive.

Sélectionné à   *Sélectionné à*   *Non*
100 %   *50 %*   *sélectionné*

9.2   Sélections progressives

Nous venons de montrer ce qu'était une sélection progressive : il s'agit d'une sélection dont l'intensité s'estompe graduellement. En réalité, cette technique s'utilise très fréquemment pour adoucir le bords des objets que l'on sélectionne. Au lieu de créer une sélection entièrement progressive comme celle de notre précédent exemple, on définit un état de pleine intensité sur toute la surface de la sélection et on fait porter la progression qui l'estompe au niveau de son contour. Cette technique permet de réaliser un fondu entre le contenu de la sélection et la zone qui l'entoure.

Considérons un exemple pratique. Nous souhaitons isoler l'ange présenté dans l'image ci-dessous au moyen d'une sélection qui nous permettra de l'extraire afin de l'utiliser dans une autre image.

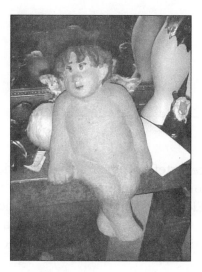

Nous avons sélectionné l'ange en suivant son contour avec le Lasso magnétique. Si l'on utilise la sélection telle quelle pour la coller dans une autre image, l'objet présente un contour tranché et dentelé qui masque mal l'artifice qui a consisté à l'extraire de notre image de départ. C'est ce que l'on remarque très nettement en plaçant l'objet sur un fond blanc.

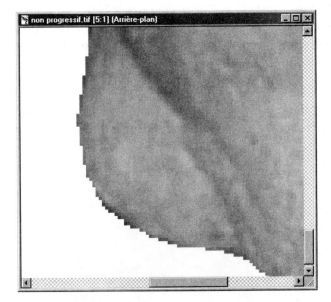

Pour éviter cet artefact indésirable, la solution consiste à adoucir la sélection (ou à la rendre progressive). Dans Photoshop ou Photoshop Elements, lorsque votre sélection est active, choisissez Sélection ⇒ Modifier ⇒ Lisser. Dans la boîte de dialogue *Lisser la sélection* qui apparaît, indiquez le nombre de pixels que vous souhaitez utiliser le long du contour pour faire progressivement passer la sélection de son niveau à 100 % (contenu de la sélection) à son niveau à 0 % (extérieur de la sélection). Par exemple, si vous indiquez 3 pixels, 6 pixels seront utilisés (3 à l'intérieur du contour et 3 à l'extérieur) pour passer progressivement de 100 % à 0 %. Dans Paint Shop Pro, vous procéderez de la même manière en choisissant Sélection ⇒ Modifier ⇒ Progressivité.

A présent, lorsque l'on place l'objet sur un calque séparé (dont le fond transparent est représenté par le damier en gris et blanc), on remarque que l'objet sélectionné devient progressivement transparent au niveau de son contour, au lieu de définir une frontière brutale.

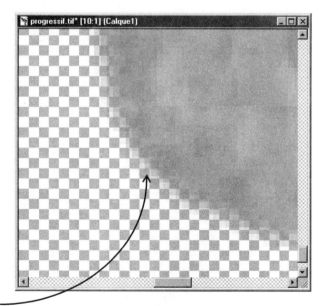

Les pixels sont progressivement transparents

Lorsqu'il est placé sur un fond blanc, l'objet sélectionné présente à présent un bord lisse.

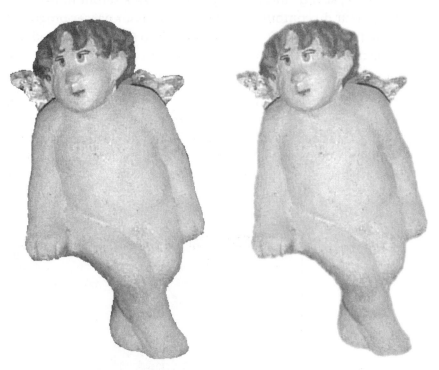

Sélection non progressive   Sélection progressive

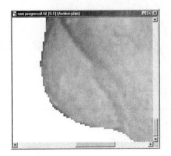   

La technique de la sélection progressive (ou lissée) est une sorte de passe-partout que l'on exploite dans un nombre incalculable de contextes. En fait, en travaillant sur vos images, vous créerez beaucoup plus souvent des sélections progressives que des sélections normales. Lorsque vous appliquez un filtre à une zone sélectionnée d'une image, vous devez adoucir le contour de la sélection, afin d'éviter qu'une frontière trop nette ne démarque la zone traitée de celle qui est restée intacte. A chaque fois que des effets de contours apparaissent, la solution consiste à utiliser une sélection progressive.

Lorsque vous souhaitez placer dans une image un objet prélevé dans une autre, vous devez utiliser une sélection progressive, afin que les pixels semi-transparents du contour de l'objet sélectionné permettent de créer un fondu avec le décor de l'image dans laquelle vous le placez. Dans notre cas, nous avons assis notre ange sur un arbre. Différentes retouches seraient nécessaires pour parfaire le réalisme de la scène, mais la progressivité de la sélection nous a permis de réaliser un montage intéressant en à peine plus de trente secondes.

9.3 **Les masques**

Les différents explications de ce chapitre nous ont livré toutes les connaissances nécessaires à la compréhension du fonctionnement des masques.

Les masques sont des couches que l'on applique à une image (ou simplement à un calque) pour en masquer le contenu à certains endroits et le révéler à d'autres. Leur intérêt tient à ce qu'ils permettent d'exploiter tous les outils de peinture et de dessin qui peuvent être utilisés sur une image normale. Les zones du masque peintes en blanc laissent apparaître le contenu de l'image, tandis que les zones peintes en noires le masquent. Les niveaux de gris intermédiaires laissent apparaître l'image par semi-transparence.

Une fois de plus, pour cette fonction avancée, seuls Photoshop et Paint Shop Pro restent véritablement en course (Photoshop Elements ne vous permet de travailler avec des masques que par un moyen détourné, en créant un calque de remplissage de couleur unie). Pour appliquer un masque à une image dans Photoshop, choisissez Calque ⇒ Ajouter un masque de fusion, puis sélectionnez Tout faire apparaître (pour commencer avec l'image entièrement visible) ou Tout masquer (pour commencer avec l'image entièrement masquée). Dans Paint Shop Pro, choisissez Masques ⇒ Nouveau, puis sélectionnez Montrer tout ou Masquer tout.

Lorsque vous sélectionnez l'option Tout Masquer ou Masquer tout, l'image est entièrement masquée et remplacée par un damier gris et blanc. Ce motif symbolise la transparence. Le masque est pour l'instant entièrement noir — il ne laisse donc rien transparaître.

Pour faire apparaître des éléments de l'image, vous devez peindre le masque en blanc. Dans Photoshop, vous pourrez éditer le masque immédiatement après l'avoir créé (à chaque fois, pour revenir à votre masque, vous pourrez cliquer sur sa vignette dans la palette Calques). Dans Paint Shop Pro, vous devez préalablement passer en mode Edition de masque, sans quoi vos interventions porteront sur le contenu de l'image elle-même (et cela sans que vous puissiez le remarquer, car tout se passe en dessous du masque !). Sélectionnez donc d'abord Masques ⇒ Editer pour que vos interventions s'appliquent au masque.

Peignez avec l'outil de votre choix dans le masque en utilisant le blanc comme couleur de premier plan.

Toutes les zones que vous recouvrez de peinture blanche laissent apparaître complètement le motif de l'image que vous avez masquée.

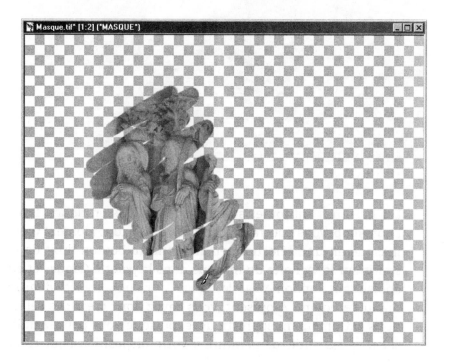

Si vous utilisez une couleur de luminosité intermédiaire (par exemple un gris moyen), vous ferez apparaître également l'image, mais par semi-transparence.

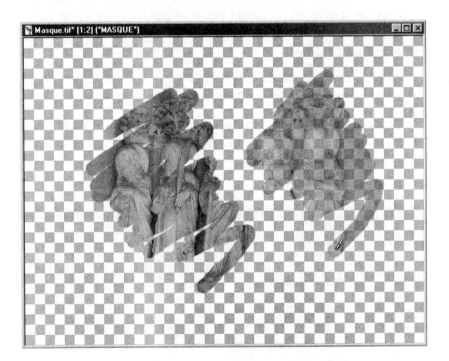

Les masques ont toutes sortes d'applications pratiques. Dans Photoshop, vous pourrez même convertir à tout moment votre masque en une sélection, en cliquant du bouton droit de la souris sur la vignette du masque dans la palette Caques et en choisissant l'option Ajouter le masque de fusion à la sélection dans le menu déroulant. A présent, vous savez donc créer des sélections extrêmement sophistiquées, puisque vous pouvez utiliser tous les outils de peinture à votre disposition pour créer des sélections partielles dont vous contrôlerez parfaitement les niveaux sur toute la surface de l'image.

L'une des utilisations pratiques qui peut être faite des masques consiste à créer des encadrements fantaisistes pour vos photographies. Masquez votre image et peignez dessus pour la révéler, en laissant se former une bordure imprécise, texturée ou diffuse.

9.3.1. **Utiliser un masque pour une sélection complexe**

Afin d'illustrer les techniques que nous avons présentées dans cette partie, considérons un exemple pratique. Dans la photographie de la page de droite, nous souhaitons sélectionner le dromadaire, afin de l'extraire de l'image pour le placer dans un autre décor.

Un certain nombre d'outils permettraient de réaliser ce travail en sollicitant l'aide du logiciel (par exemple, la Gomme d'arrière-plan ou la commande Extraire de Photoshop). Toutefois, si ces outils automatiques peuvent être utiles, ils n'offrent jamais le degré de contrôle que l'on peut avoir en procédant par soi-même. En outre, tous les logiciels ne proposent pas les fonctions sophistiquées de Photoshop pour extraire des éléments d'un arrière-plan. Par exemple, Paint Shop Pro ne fournit aucun outil de ce genre.

La principale difficulté que pose la photographie présentée ci-contre tient d'abord à ce que les tons du sable et ceux de la fourrure du dromadaire sont assez proches (ce qui empêche d'utiliser la Baguette magique), mais également au fait que le contour de l'animal est extrêmement complexe : le long de la tête et des pattes, les poils de la fourrure forment un relief filandreux extrêmement touffu (voir page 154) qui nécessiterait un travail considérable avec des outils comme le Lasso ou le Lasso magnétique. Votre patience serait mise à rude épreuve si vous deviez isoler chacun des poils en traçant leur contour au pixel près !

Tous les outils de sélection qui permettraient d'intervenir directement sur l'image sont en quelque sorte mal adaptés. Ou plutôt, l'image est mal adaptée à ces outils. Pour pouvoir réaliser notre sélection, nous allons la traiter.

L'image d'origine

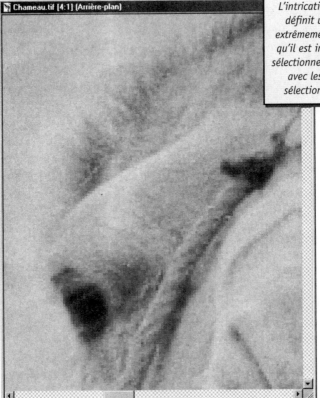

L'intrication des poils définit un contour extrêmement complexe qu'il est impossible de sélectionner directement avec les outils de sélection standard.

L'astuce à laquelle nous allons recourir consiste à créer un masque à partir d'une version traitée de l'image, qui nous servira à sélectionner ensuite notre dromadaire dans l'image d'origine. En quelque sorte, nous allons amener l'image à se sélectionner elle-même.

Pour commencer, nous devons chercher à différencier les pixels qui appartiennent au dromadaire des pixels du décor

qui borde sa silhouette. Pour cela, nous augmentons la luminosité ainsi que le contraste, afin que les légères nuances du
sable disparaissent en s'éclaircissant fortement. Les poils fins
de l'animal sont préservés de cet effet d'éclairage intense, car
ils présentent une série de fines lignes nettes bien marquées
que le réglage de contraste s'efforce de préserver.

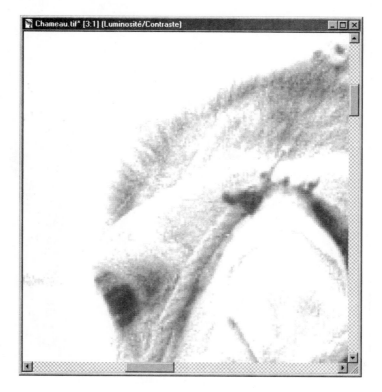

Une fois que l'arrière-plan a ainsi été aplati sous une intense
luminosité, un grand nombre de reliefs dans le sable restent
apparents, mais il est à présent beaucoup plus facile d'isoler

l'animal, car une large zone blanche borde les contours qui nous posaient le plus de problèmes.

Le reste de la sélection peut être opéré comme n'importe quelle sélection classique. Seuls les poils posaient vraiment problème, le reste n'étant qu'une affaire de patience.

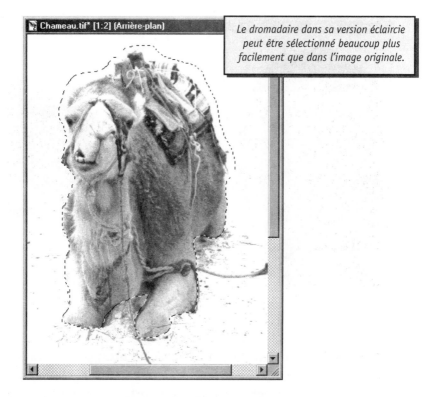

La sélection que nous venons d'opérer n'est pas celle que nous souhaitons, car nous avons entre temps fortement dénaturé l'image. Elle nous servira en revanche à dessiner notre masque afin de sélectionner l'image d'origine.

Tout d'abord, nous plaçons notre sélection temporaire dans une nouvelle image au fond blanc (on peut aussi inverser la sélection et remplir de blanc le reste de l'image). Ensuite, nous allons rendre entièrement noir le dromadaire. Pour cela, nous utilisons d'abord un filtre Seuil réglé à un faible niveau, afin que tous les pixels gris (même les plus clairs) deviennent noirs.

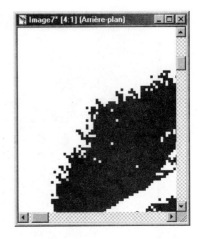

Comme le montrent les images précédentes, les motifs effilés de la fourrure ont été conservés. En revanche, toute la surface du dromadaire n'est pas noire, car certaines zones très blanches n'ont pu être rendues noires avec le filtre Seuil. La silhouette générale est pourtant bien dessinée et plus important, les contours sont nettement tracés. Pour terminer notre travail, il nous suffit de sélectionner rapidement l'intérieur de la silhouette et de remplir notre sélection en noir.

A ce stade, nous avons délimité la silhouette du dromadaire en créant un grande forme noire. Il ne nous reste plus qu'à en faire un masque (les couleurs devant être inversées, car les zones noires d'un masque servent à masquer les images et les zones blanches à les révéler).

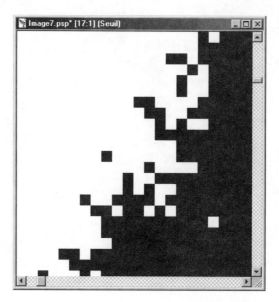

Les dernières étapes ne sont qu'une formalité : on peut sélectionner la masse noire puis remplir la sélection en blanc dans un masque ou inverser les couleurs de l'image et l'utiliser comme masque par dessus notre image d'origine. Une fois le masque appliqué, notre chameau apparaît seul dans l'image.

Cette fois, la sélection reprend l'image dans sa version d'origine, sans affecter son niveau de luminosité. Les poils ont été sélectionnés.

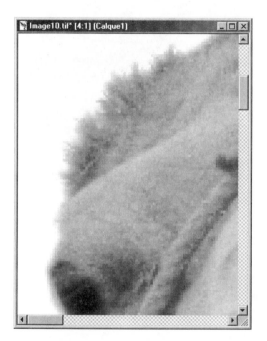

Pour parfaire la sélection, vous pouvez la rendre progressive (soit en convertissant le masque en sélection puis en choisissant la commande appropriée dans votre logiciel, soit en peignant sur le masque avec un outil de retouche, afin d'adoucir les bords de la forme blanche). Les bords de la sélection seront ainsi lisses et lorsque vous la déplacerez, l'effet de semi-transparence à la périphérie permettra de créer un fondu avec le décor d'arrière-plan.

La partie la plus amusante vient à présent, car vous pourrez faire ce que vous voulez de l'élément que vous avez sélectionné. Placez-le par exemple dans une autre image afin de le plonger dans un nouvel univers.

Notre dromadaire faisait une mine un peu étrange — en l'installant dans une belle prairie à l'herbe fraîche, on a rendu la scène plus comique encore : on jurerait qu'il grommelle de sombres jurons sur la qualité du temps...

Partie

3

Calques et compositing

Au sommaire de cette Partie

Chapitre 10

Principe de fonctionnement des calques

Jusqu'à présent, nous n'avons considéré les images que comme des objets plats, à la manière d'une toile : lorsqu'on peint sur l'image, les nouveaux pixels en font automatiquement partie et remplacent définitivement les anciens. C'est ainsi que se comportent vos photographies lorsque vous les ouvrez pour la première fois.

En réalité, les logiciels d'édition d'images vous permettent de créer des images en plusieurs couches, de sorte que ce que vous peignez sur l'une n'affecte pas le contenu des autres. Ces couches qui se superposent les unes aux autres pour former le motif complet de l'image sont appelées des *calques*, car elles fonctionnent exactement à la même manière de calques qu'on empilerait les uns au-dessus des autres afin de créer des dessins combinant différents éléments : les zones transparentes d'un calque de niveau supérieur laissent transparaître le contenu des calques du dessous, tandis que ses zones opaques le recouvre.

Dans l'illustration suivante, nous avons présenté le fonctionnement d'une image composée de trois calques. En bas de la pile, un calque d'arrière-plan contient une image de ciel nuageux. Sur les deux calques du dessus sont placés deux anges, isolés chacun sur un fond transparent (représenté comme toujours par un damier gris et blanc). Le calque de l'ange-garçon est placé au-dessus de celui de l'ange-fille. Dans l'image complète, c'est donc le garçon qui apparaît au premier plan — les zones opaques de son calque recouvrent le contenu des calques sous-jacents.

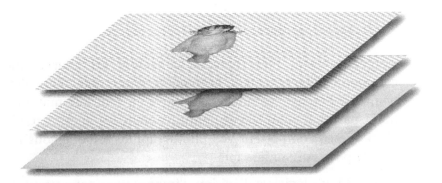

10.1 **Ordre des calques**

L'ordre des calques est donc déterminant pour le résultat de l'image globale. Dans une image en plusieurs calques, on peut choisir de masquer ou d'afficher différents calques. Ci-dessous, nous avons masqué les calques des anges dans Photoshop (palette Calques en haut à droite) et Paint Shop Pro (en bas à droite).

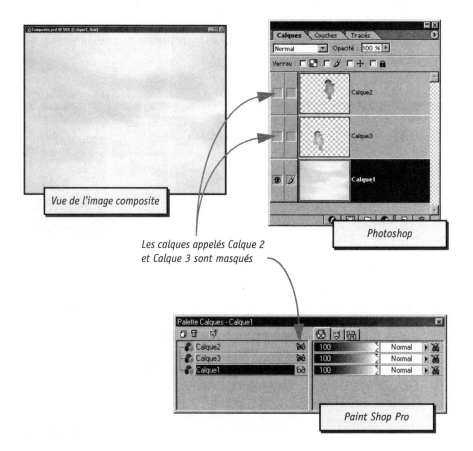

Vue de l'image composite

Photoshop

Les calques appelés Calque 2
et Calque 3 sont masqués

Paint Shop Pro

Dans la plupart des logiciels qui permettent d'utiliser des calques, une icône indique quels calques sont visibles et lesquels sont masqués. Dans Photoshop, un œil apparaît dans la palette Calques à gauche des calques affichés. Il disparaît quand un calque est masqué. Dans Paint Shop Pro, une icône de lunettes indique que le calque est visible. Lorsque les lunettes sont barrées d'une croix rouge, le calque est masqué.

Comme vous l'avez vu dans le précédent exemple, si l'on masque les calques des deux anges, c'est le ciel seul qui apparaît. Le calque du ciel est entièrement opaque. Si on le masque et qu'on n'affiche que le calque d'un ange, l'ange apparaît, entouré du damier gris et blanc indiquant que le fond est transparent.

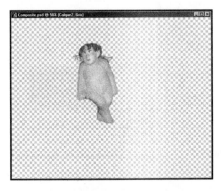

Le fond est transparent. Il n'y a rien en dessous car le calque d'arrière-plan est masqué.

Photoshop

Paint Shop Pro

Lorsque vous sélectionnez un calque dans la palette Calques, il devient actif et toutes les opérations d'édition que vous effectuez se limitent à ce calque (à moins de choisir une option spéciale dans le cas de certains outils).

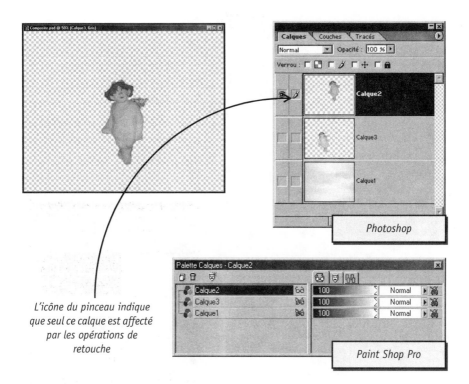

L'icône du pinceau indique que seul ce calque est affecté par les opérations de retouche

L'ordre des calques peut être inversé, afin de faire passer un élément devant un autre. Par exemple, dans notre pile de trois calques, nous pouvons faire passer le Calque 2 au-dessus du Calque 3, afin que l'ange-fille vienne se placer au premier plan, devant l'ange-garçon. Nous avons illustré cette permutation dans les deux pages suivantes.

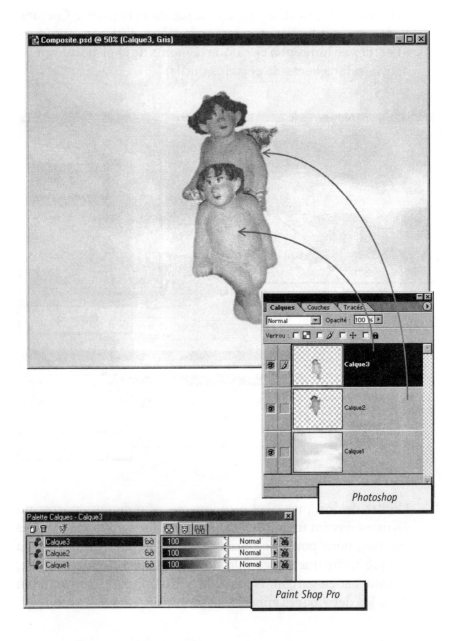

Photoshop

Paint Shop Pro

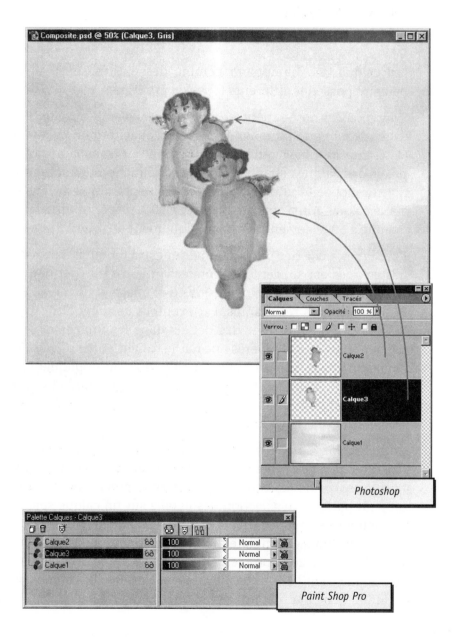

Photoshop

Paint Shop Pro

10.2 Niveau d'opacité

Les calques se manipulent comme des entités séparées et peuvent posséder différents types de propriétés.

Vous pouvez notamment en définir le niveau d'opacité. Par exemple, si vous ramenez le niveau d'opacité d'un calque à 50 %, tous les pixels qu'il contient laisseront transparaître les pixels des calques sous-jacents. Cette réduction de moitié du niveau d'opacité affectera tous les éléments qui se trouvent sur le calque. Ainsi, un objet opaque à 50 % placé sur un calque opaque à 50 % deviendra automatiquement opaque à 25 %.

Pour la retouche des photos numériques, la fonction d'opacité des calques est souvent très intéressante, car elle permet de traiter différemment deux versions de l'image et de mélanger les deux images résultantes. Par exemple, certains filtres ont le désavantage d'écraser des détails dans les images qui ne peuvent plus être récupérés une fois le traitement appliqué. En copiant l'image sur un nouveau calque et en appliquant le filtre au calque du dessus, on peut ensuite jouer sur le facteur d'opacité afin de mélanger à proportions adaptées l'image originale avec l'image filtrée.

Comme pour toutes les techniques de retouche, toutes sortes d'astuces peuvent être imaginées : par exemple, si les détails à faire ressortir ne concernent qu'une zone précise de l'image, on peut placer une sélection des détails sur un calque séparé (au lieu d'une copie complète de l'image) puis mélanger cette zone avec l'image complète filtrée. On parvient ainsi à pondérer l'effet sur la zone problématique sans contrecarrer l'efficacité du filtre sur l'ensemble de l'image. L'utilité des calques ne se limite donc pas aux images truquées ou farfelues.

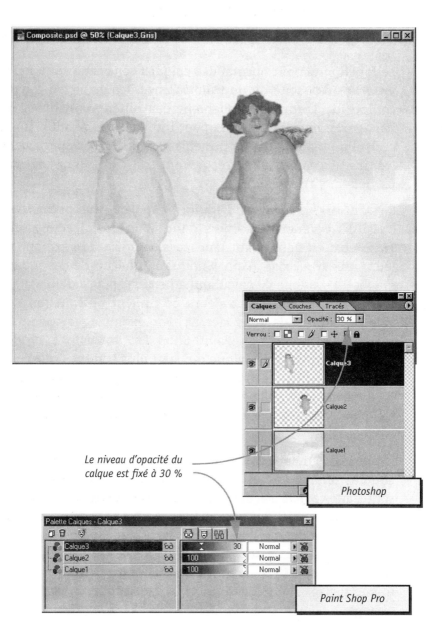

Le niveau d'opacité du calque est fixé à 30 %

10.3   Modes de fusion (ou de mélange)

Le fonctionnement normal des calques consiste à faire jouer les effets d'opacité ou de transparence des pixels en tenant compte de l'ordre d'empilement des différents calques de l'image. Le niveau d'opacité peut influencer le résultat final, mais il ne modifie pas ce principe : les pixels se superposent les uns aux autres et se recouvrent soit complètement, soit partiellement.

En général, les logiciels d'édition d'images vous permettent aussi de modifier la manière dont les calques interagissent entre eux, en définissant leur *mode de fusion* (Photoshop) ou leur *mode de mélange* (Paint Shop Pro). Chacun de ces modes établit un système de calcul qui amène les pixels d'un calque à prendre de nouvelles valeurs de couleur en fonction des valeurs des pixels sous-jacents. Par exemple, le mode de mélange Assombrir de Paint Shop Pro consiste à rendre opaques les pixels du calque qui sont plus sombres que ceux des calques sous-jacents et à rendre transparents les autres. Ce mode de mélange permet donc de n'afficher que les pixels les plus sombres parmi les différents choix qu'offrent les calques superposés.

L'intérêt des modes de mélange pour les techniques de retouche des photographies tient à ce que les pixels d'un calque sont traités *en fonction* des valeurs des pixels des calques sous-jacents. En dupliquant une image sur plusieurs calques, il est ainsi possible de produire des effets de correction qui tiennent directement compte des valeurs d'origine de l'image et produisent des effets différents pour chacun des pixels, au lieu qu'un même réglage s'applique uniformément à toute la surface de l'image.

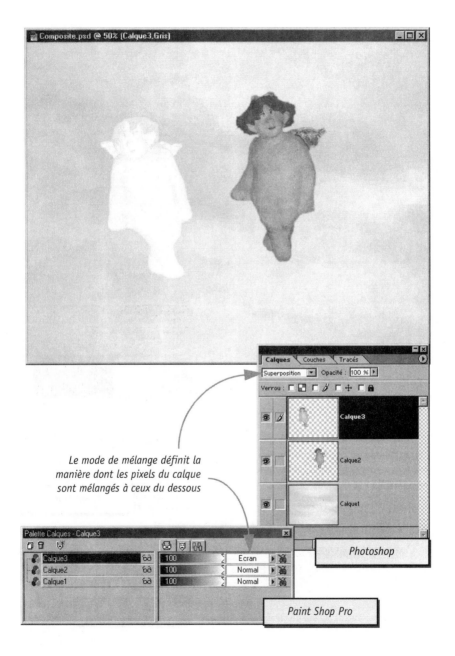

Le mode de mélange définit la
manière dont les pixels du calque
sont mélangés à ceux du dessous

Photoshop

Paint Shop Pro

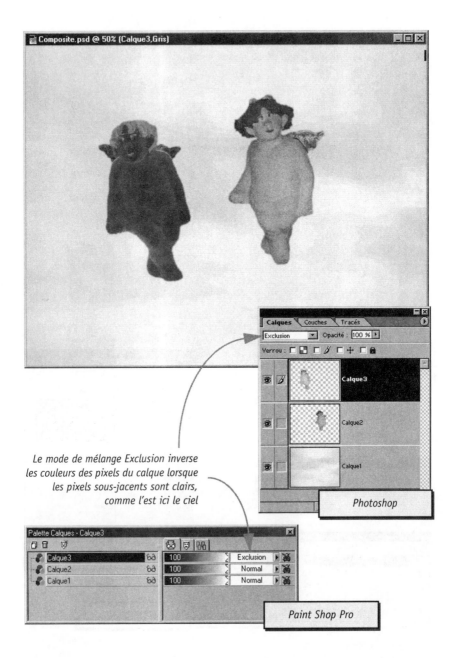

Le mode de mélange Exclusion inverse les couleurs des pixels du calque lorsque les pixels sous-jacents sont clairs, comme l'est ici le ciel

Photoshop

Paint Shop Pro

attention

Il n'existe pas de limite théorique quant au nombre de calques que vous pouvez créer, mais vos possibilités ne sont pas infinies, car la capacité mémoire de votre système ne l'est pas non plus. Chaque nouveau calque que vous créez équivaut à une copie de votre image d'origine. En ajoutant un calque dans votre image, vous multipliez donc sa taille par deux (pendant que vous travaillez dessus). Une image qui contient 12 calques nécessite 12 fois plus de mémoire que la même image à un calque.

attention

Il est également important de noter que les calques ne sont pas mémorisés lorsque vous enregistrez votre image en utilisant un format de fichier standard, car ce sont des outils spécifiques à l'application que vous utilisez. Si vous utilisez un format d'enregistrement standard (TIFF, JPEG, etc.), votre image sera « aplatie » et toutes les informations qui étaient dissociées en étant réparties sur différents calques seront réunies en un seul calque. Pour enregistrer votre image en conservant vos différents calques, utilisez le format d'enregistrement natif de l'application avec laquelle vous travaillez (PSD pour Photoshop, PSP pour Paint Shop Pro, etc.).

Chapitre 11

Calques de réglage

Les calques de réglage sont l'une des fonctionnalités logicielles les plus intéressantes qui vous sont proposées pour la retouche des photos numériques. Ils vous permettent d'utiliser des filtres, exactement comme les filtres de réglage que nous avons présentés dans la première partie de ce livre, sans affecter directement les pixels de l'image. Au lieu de cela, un calque supplémentaire est créé dans l'image, qui contient vos paramètres de filtrage. Comme tout autre calque, le calque de réglage peut être masqué (auquel cas le filtre n'a plus d'effet sur l'image) ou affiché (l'image étant alors filtrée), et cela dès que vous le souhaitez.

11.1 Principes de fonctionnement

Le grand intérêt des calques de réglage tient à ce qu'ils vous permettent de revenir à tout moment sur les réglages que vous avez définis. Lorsque vous appliquez un filtre standard à une image, vous devez être sûr de votre choix. Si vous souhaitez annuler son effet, vous devrez revenir en arrière jusqu'au moment où vous l'aviez appliqué et annuler toutes les opérations que vous aviez effectuées entre temps.

Ce filtre
n'est pas
actif car le
calque est
masqué

Paint Shop Pro

L'autre grand avantage des calques de réglage, corrolaire du premier, tient à la flexibilité qu'ils vous offrent pour combiner les effets de plusieurs filtres. S'il est difficile de trouver le réglage idéal pour un filtre de traitement des couleurs, il est encore plus ardu de savoir prévoir l'effet combiné de deux filtres appliqués l'un à la suite de l'autre. Lorsque vous travaillez avec des filtres standard, vous pouvez appliquer un filtre puis un deuxième, mais vous ne pouvez pas revenir sur les réglages du premier afin de compenser l'effet produit par le second.

Tout au contraire, les calques de réglage vous permettent d'empiler autant de filtres que vous le souhaitez et de faire varier leurs réglages respectifs afin de trouver un équilibre idéal entre leurs différents effets.

Photoshop, Photoshop Elements et Paint Shop Pro vous permettent tous trois d'utiliser des calques de réglage (en accédant au sous-menu Calques ⇒ Nouveau calque de réglage). De nouveaux calques de réglage peuvent également être ajoutés directement à partir de la palette Calques.

Lorsque vous créez un nouveau calque de réglage et qu'aucune sélection n'est active, le filtre s'applique à toute la surface de l'image. Lorsqu'une sélection est active, un masque correspondant à la sélection est automatiquement ajouté au calque de réglage. Dans Photoshop, la vignette du masque apparaît directement dans la palette Calques (voir page 185). Dans Paint Shop Pro, vous la ferez apparaître en survolant le nom du calque dans la palette Calques.

Le masque du calque de réglage peut être peint et altéré comme n'importe quel autre masque, ce qui vous permet de contrôler parfaitement l'intensité de l'effet pour chacune des zones de l'image.

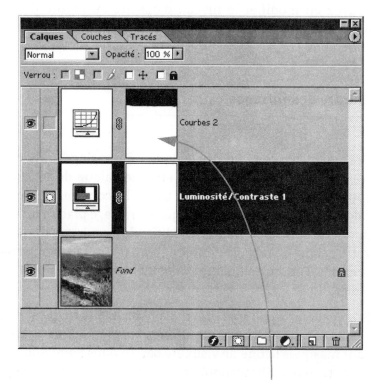

Lorsque vous ajoutez un calque de réglage alors qu'une sélection est active, un masque est automatiquement créé, qui filtre l'effet des réglages. Ici, seule la zone qui ne correspond pas au ciel est affectée.

Le résultat du filtre est instantanément mis à jour lorsque vous modifiez le masque du calque de réglage. Photoshop et Paint Shop Pro vous permettent ainsi de peindre votre filtrage dans l'image, ce qui vous donne un niveau de contrôle absolu sur le rendu des effets.

Notez en outre que les calques de réglage héritent de toutes les caractéristiques fonctionnelles des calques standard : vous

pouvez en modifier le niveau d'opacité ou l'ordre d'empilement, mais également leur attribuer le mode de mélange de
votre choix.

11.2   Ordre des filtrages

L'ordre d'empilement des calques de réglage influence le
résultat que vous obtenez. En effet, le calque de réglage que
vous appliquez à une image traite le contenu de tous les
calques sous-jacents. Si un calque de réglage placé à un niveau
inférieur contribue déjà à modifier les couleurs de l'image,
votre calque de réglage n'interviendra pas sur le même type de
contenu. Tentons d'illustrer ce point en considérant un exemple pratique.

Nous allons appliquer deux calques de réglage à l'image
présentée dans la page de droite. Lorsque les deux calques
sont masqués (icône de visibilité barrée dans Paint Shop Pro et
absente dans Photoshop), aucun filtrage n'est appliqué à
l'image.

Les deux calques de réglage que nous avons choisis correspondent à un calque Luminosité/Contraste (dont nous nous servi-
rons pour éclaircir l'image) et à un calque Inverser (que nous
utiliserons pour inverser les couleurs de l'image, à la manière
d'un négatif photo).

Le principe du calque Inverser consiste à inverser les niveaux
de luminosité dans l'image de sorte qu'une zone plus claire à
l'origine deviendra plus sombre une fois traitée. Le blanc
devient ainsi noir et le noir devient blanc. Seul le gris moyen
reste inchangé.

Les calques de réglage Luminosité/Contraste et
Inverser sont masqués. Ils n'ont donc aucun
effet sur l'image.

Le calque Luminosité/Contraste nous permet d'éclaircir fortement l'image, comme vous le voyez ci-dessous.

Le calque Inverser est masqué et
n'affecte donc pas l'image

Dans la page de droite, nous avons présenté l'image obtenue
en activant les deux calques lorsque le calque Inverser est
placé au-dessus. L'image obtenue est très sombre, ce qui est
logique : le calque Luminosité/Contraste contribue en un
premier temps à éclaircir les couleurs de l'image d'origine que
le calque Inverser vient transformer en leur inverse, ce qui
produit des couleurs très sombres.

L'effet n'est pas le même si l'on inverse l'ordre des calques,
comme vous le remarquerez sur la page suivante.

Ce calque agit →
en premier

*Ce calque agit
en second*

Lorsque nous plaçons le calque Luminosité/Contraste au-dessus du calque Inverser, l'image est beaucoup moins sombre. En effet, le calque Inverser est dans ce cas le premier à agir sur l'image, qui n'a cette fois pas été préalablement traitée par le calque Luminosité/Contraste. L'image est donc légèrement plus sombre au moment d'être inversée, ce qui produit une image plus claire une fois le filtre appliqué. Ensuite, le calque Luminosité/Contraste agit par-dessus l'image inversée et contribue donc encore à éclaircir la photo.

Chapitre 12

Compositing

Les techniques et les outils que nous avons présentés dans cette partie vous permettront de travailler sur vos photographies en utilisant différentes images ou différents éléments répartis sur des calques dont les pixels sont mélangés.

Le grand avantage de ces techniques pour la retouche des photos numériques tient à ce que plusieurs versions d'une image peuvent être utilisées de manière à ce que les détails contenus dans l'une viennent enrichir ceux de l'autre.

12.1 Techniques de compositing

Le compositing désigne le travail qui consiste à créer une image en mélangeant les pixels de différents éléments, soit en jouant sur des effets de transparence, soit en faisant appel à des modes de fusion qui établissent des règles d'interaction entre les pixels superposés.

SI le compositing est très fréquemment utilisé pour réaliser des montages photographiques ou des truquages, il peut également servir à opérer des réglages de couleur et des retouches précises.

Les filtres qui permettent d'éclaircir des images sous-exposées ont pour principal défaut de venir modifier directement les pixels de l'image d'origine. Bien souvent, lorsqu'on atteint le niveau de luminosité recherché, un certain nombre des détails qui faisaient la qualité de l'image ont déjà disparu.

Grâce aux techniques de compositing, vous pouvez restituer des détails estompés par un filtre en superposant plusieurs versions de la même image.

Considérez par exemple l'image ci-dessous. Pour corriger sa teinte un peu sombre, nous pouvons utiliser le filtre Luminosité/Contraste, mais il apparaît immédiatement que même en jouant sur le facteur de contraste, les reliefs du sol sont fortement aplatis et la scène perd de sa vigueur, le sol granuleux se transformant en une surface blanchâtre et lisse.

En recopiant l'image sur un autre calque, on peut éviter cet effet indésirable en appliquant notre filtre à la version du nouveau calque et en mélangeant cette image filtrée avec le calque sous-jacent, qui contient l'image originale.

Les deux versions de l'image sont mélangées en jouant sur le niveau d'opacité

La copie de l'image est filtrée

Les images peuvent être mélangées en ajustant le paramètre d'opacité des calques ou même en utilisant un mode de mélange approprié à la retouche des couleurs (par exemple Lumière forte, Lumière douce, Maquillage sombre ou Maquillage clair dans Paint Shop Pro ou Lumière tamisée, Lumière crue, Densité couleur- ou Densité couleur+ dans Photoshop et Photoshop Elements).

Le principe de cette technique s'appuie sur une caractéristique générale de la retouche des images numériques : le seul moyen que vous avez de faire ressurgir des détails, c'est d'utiliser les informations de l'image d'origine. Même sombre ou trop claire, votre image d'origine est toujours celle qui contient le plus d'informations, car il s'agit de votre point de départ : toutes les opérations que vous effectuez pour traiter l'image ne feront qu'exploiter ces informations déjà présentes au commencement.

12.2 Effets irréalistes

Les techniques de compositing peuvent être utilisées pour parfaire le réalisme d'une image ou en améliorer l'éclairage, mais elles peuvent également servir à créer des photographies plus artistiques, à la manière des filtres fantaisistes que vous propose Photoshop.

Vous pourrez ainsi dupliquer votre image sur plusieurs calques et réaliser des compositions esthétiques en jouant avec des modes de mélange plus artificiels, par exemple en imitant un effet de vieille photographie ou en créant des scènes aux ambiances étranges.

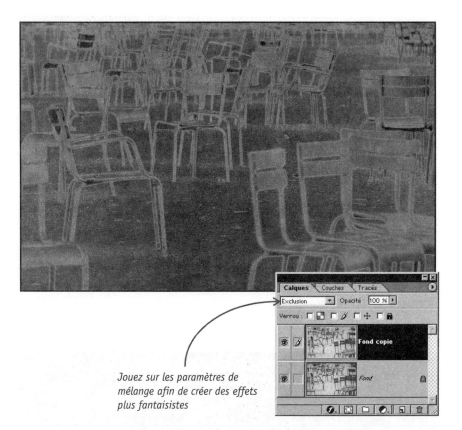

Jouez sur les paramètres de mélange afin de créer des effets plus fantaisistes

Les images présentées dans la page suivante ont été réalisées en combinant plusieurs calques de l'image d'origine et en utilisant différents modes de fusion et niveaux d'opacité pour chacun des calques mélangés. Lorsque vous utiliserez ce genre de techniques, n'hésitez pas à exploiter des masques également, afin de contrôler le mélange des calques en délimitant des zones où l'effet porte à différents niveaux d'inensité. Une version assombrie ou éclaircie d'une image peut ainsi être utilisée pour créer automatiquement un masque adapté.

note

Photoshop propose des options plus avancées encore pour le mélange des différents calques fusionnés. Pour les faire apparaître, double-cliquez sur le calque dans la palette Calques afin de faire apparaître la boîte de dialogue Style de calque, puis cliquez sur la rubrique Options de fusion dans la liste Styles.

Photoshop vous permet d'utiliser des options de filtrage de niveaux de luminosité ou de contrôler l'opacité des calques sous-jacents générée par l'opération de mélange, mais également de spécifier les couches RVB qui doivent être affectées par le mélange ou la manière dont les effets de calque doivent être fusionnés.

Partie

4

Techniques de précision

Au sommaire de cette Partie

Chapitre 13

Travail au microscope

Dans cette partie, nous allons considérer les techniques de retouche précises, c'est-à-dire celles qui nécessitent que vous travailliez au niveau des pixels. Nous les avons réparties en trois catégories, traitées chacune dans un chapitre différent, afin de distinguer la nature du traitement auquel elles font chaque fois appel, mais en pratique, il arrivera bien souvent que vous les combiniez pour réaliser vos retouches.

Dans ce premier chapitre, nous aborderons rapidement le cas général du travail au zoom. Ce sera également l'occasion de présenter une technique de retouche bien utile pour les photographies de portrait, qui permet de corriger les yeux rouges.

Dans le chapitre suivant, vous découvrirez les techniques de duplication qui consistent à recopier des zones de l'image afin de reconstituer des portions abîmées ou indésirables. Enfin, dans le dernier chapitre, nous présenterons les techniques de fondu, qui utilisent les pixels existants de l'image à la manière d'une couche de peinture qui peut être étalée ou permettent de peindre sur des surfaces pour en raviver ou en ternir les couleurs.

Toutes ces opérations sont des opérations de retouche à proprement parler, puisqu'à la différence de la plupart des techniques que nous avons considérées jusqu'à présent, elles consistent à falsifier les images en modifiant localement des pixels sélectionnés par vos soins.

13.1 Travail au niveau des pixels

Le travail au niveau des pixels vous offre un contrôle absolu, puisqu'il vous permet de modifier une à une chacune des couleurs qui composent votre image. Ce mode d'intervention chirurgical doit être préféré à chaque fois qu'un défaut de votre image se trouve localisé dans une zone très réduite. En règle générale, il importe toujours de limiter votre intervention aux seules portions qui possèdent réellement des défauts et de conserver les autres zones intactes.

Lorsque vous agrandissez votre image (avec l'outil Loupe de Photoshop ou l'outil Zoom de Paint Shop Pro), vous perdez la vue d'ensemble que vous en possédiez. Or, cette vue est la seule qui importe vraiment, car elle correspond à l'aspect de l'image qui sera finalement considéré.

En travaillant avec un fort niveau de grossissement, vous n'aurez plus la sensation de l'effet produit à taille réelle. Telle retouche paraîtra parfaite à 500 % et complètement ratée une fois rétablie la vue à 100 %. Pour bien faire, vous devez donc travailler sur votre image agrandie en conservant à côté une vue à taille réelle qui vous indiquera immédiatement l'effet produit sur la vue d'ensemble.

Pour créer une deuxième vue de votre image, choisissez Affichage ⇒ Nouvelle vue dans Photoshop ou Photoshop Elements et Fenêtre ⇒ Nouvelle fenêtre dans Paint Shop Pro.

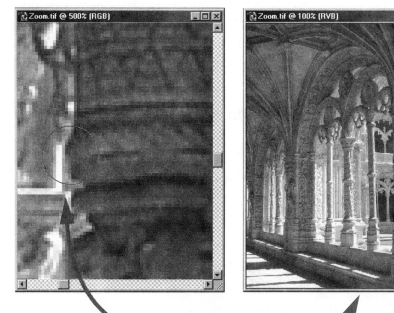

Travaillez dans la vue agrandie
(ici, à 500 %) et surveillez le
résultat dans la vue d'ensemble

note

Idéalement, choisissez d'afficher la vue de contrôle à taille réelle (100 %) et non avec une taille qui adapte l'image afin de la faire tenir dans l'écran. Seule la taille à 100 % affiche les pixels exacts de votre image et vous permet d'obtenir un aperçu fidèle de l'effet de vos retouches.

Le principal aspect que vous devez apprendre à contrôler lorsque vous opérez des retouches de pixels est celui du réglage de votre outil de travail. Les pinceaux, les brosses et autres outils de peinture ou de correction peuvent généralement être ajustés en définissant une taille de pinceau, une forme, un niveau de netteté (qui indique si et comment les bords du pinceau sont adoucis) ou un niveau d'opacité.

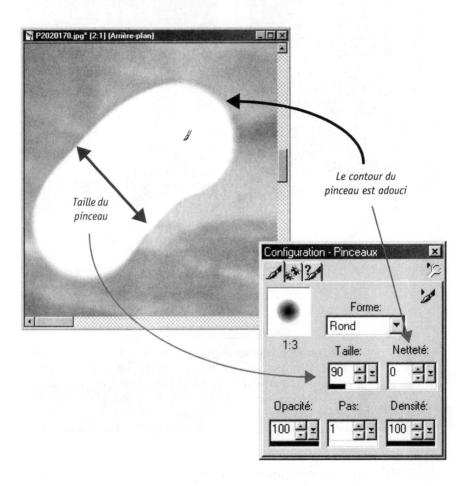

Taille du pinceau

Le contour du pinceau est adouci

Un grand nombre des opérations de retouche ne s'effectuent pas en corrigeant les pixels d'un seul coup de pinceau, mais en passant à différentes reprises sur la zone à retoucher. Pour ce type d'intervention, l'idéal est généralement d'utiliser un niveau d'opacité réduit de l'outil, afin qu'à chaque passage, l'image ne soit que faiblement affectée. Vous pourrez ainsi progresser par petites touches, en surveillant constamment l'effet obtenu, jusqu'à ce qu'un équilibre convenable soit trouvé.

13.2 Corriger les yeux rouges

Lorsqu'une personne possède des yeux rouges sur une photo-graphie papier, on ne peut rien y faire, et le portrait est gâché. Lorsque cela se produit sur une photo numérique, il suffit de quelques secondes pour y remédier.

Le phénomène des yeux rouges se limite à la pupille de l'oeil et s'étend quelquefois légèrement sur l'iris, de manière moins nette. Cette situation nécessite donc que l'on travaille au niveau des pixels, car la zone de l'œil est généralement très réduite.

Pour commencer, vous devrez sélectionner la zone rouge de l'œil. C'est ce que vous parviendrez à faire rapidement en utili-sant un outil de sélection elliptique comme l'Ellipse de sélec-tion de Photoshop ou l'outil Sélection en mode Ellipse de Paint Shop Pro. Si la pupille est très rouge mais que la rougeur s'étend timidement sur l'iris, vous pourrez utiliser une sélec-tion progressive, afin que la zone de la pupille soit traitée plus intensément que ne le seront les pixels rougeâtres éparpillés sur la surface de l'iris. Pour un travail très poussé, vous pouvez également utiliser un masque, dont vous peindrez les diffé-rentes zones afin de contrôler précisément l'intensité.

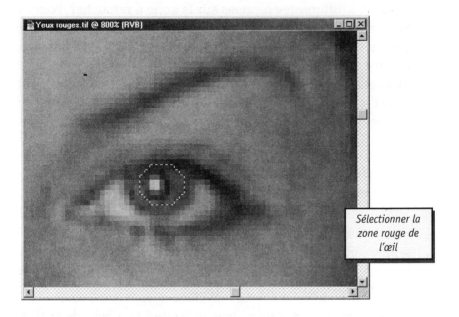

Sélectionner la
zone rouge de
l'œil

Si la rougeur est très intense et a même écrasé le reflet de la
pupille, on peut envisager de repeindre l'œil à la main, mais
l'opération est très délicate, car il est très difficile de donner à
ces retouches un aspect réaliste.

En fait, cette situation extrême arrive très rarement, car les
informations de luminosité sont généralement encore présentes (le reflet de la pupille et les nervures de l'iris sont conservés), mais simplement teintées en rouge. Comme toujours, la
meilleure solution consiste alors à exploiter les informations
contenues dans l'image pour préserver les nuances existantes.

Une fois l'œil sélectionné, ajoutez un calque de réglage Courbes (Calque ⇒ Nouveau calque de réglage ⇒ Courbes). Ce filtre permet
de corriger les niveaux de luminosité des différentes couches
RVB de l'image. Nous interviendrons sur la couche rouge.

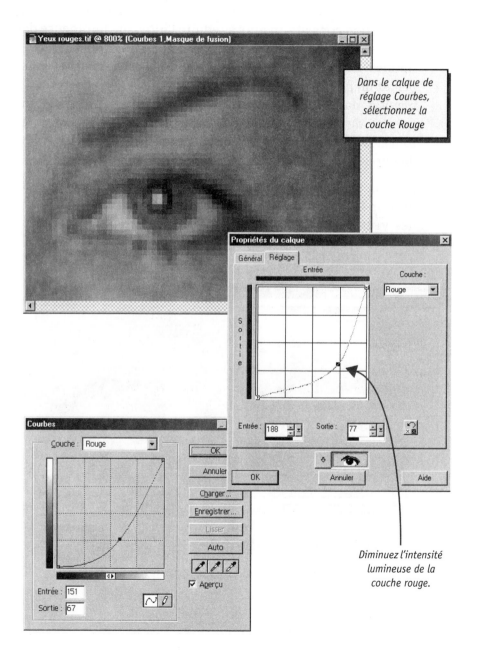

Dans le calque de réglage Courbes, sélectionnez la couche Rouge

Diminuez l'intensité lumineuse de la couche rouge.

L'opération consiste ensuite à réduire l'intensité lumineuse de la couche rouge en infléchissant sa courbe de niveaux. Sélectionnez l'option *Rouge* dans la liste déroulante *Couche*, puis placez un point sur la courbe et faites-le glisser en observant le résultat dans l'image. Recherchez le point d'inflexion qui permet de faire disparaître le plus parfaitement la teinte rouge. C'est terminé. Avec un peu d'habitude, cette opération de retouche complète ne vous prendra que quelques secondes.

Si vous possédez Paint Shop Pro 7, vous pourrez également utiliser la fonction de traitement automatique Suppression des yeux rouges (Effets ⇒ Traitement des photos ⇒ Suppression des yeux rouges).

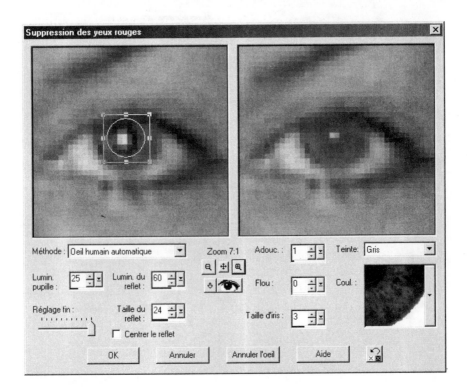

Cette fonction sophistiquée vous permet d'appliquer de manière automatique le traitement que nous venons d'expliquer, en ajustant un contour de sélection. Evidemment, puisque vous ne décidez pas vous-même de la méthode d'ajustement, vous ne pourrez pas contrôler tous les aspects de la retouche. Dans la plupart des cas, cet outil conviendra, mais face à certaines caractéristiques imprévues, il est nécessaire de savoir effectuer l'opération par soi-même, afin d'adapter la retouche au contexte précis de l'image.

La fonction Suppression des yeux rouges de Paint Shop Pro est surtout intéressante lorsqu'il s'agit de recomposer le dessin de l'œil s'il a fortement été dénaturé par l'artefact d'éclairage. Vous pourrez paramétrer la couleur et la taille de l'iris ou de la pupille et même spécifier le type de reflet que vous souhaitez créer sur l'œil (en indiquant sa taille et son intensité). Pour les cas extrêmes où vous auriez à recomposer le motif de l'œil, cet outil peut aider à produire un résultat plus réaliste qu'un dessin manuel.

Photoshop Elements propose également un outil automatique appelé Pinceau yeux rouges. Son principe consiste à positionner la croix du pinceau dans l'image au-dessus des pixels rouges et à définir une couleur de remplacement. C'est un moyen commode de réaliser des retouches rapides, mais comme tout outil automatique, il possède de sérieuses limitations. En général, mieux vaut recourir à la technique que nous avons présentée précédemment.

Chapitre 14

Techniques de duplication

Les opérations de retouche qui nécessitent que vous recomposiez une portion endommagée d'une image n'échappent pas à la règle que nous avons rappelée tout au long de cet ouvrage : vous devez travailler à partir des informations présentes dans l'image. Pour effacer une tache ou une rayure qui macule la surface d'une photographie, le procédé est toujours le même et consiste à prélever les détails d'une zone avoisinante pour recréer ceux de la zone endommagée.

L'outil incontournable pour ce type de retouches est appelé Tampon de duplication dans Photoshop (et Photoshop Elements) et Pinceau à cloner dans Paint Shop Pro.

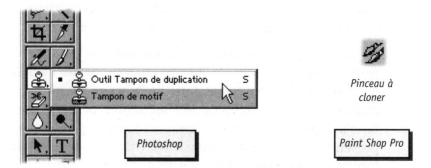

Outil Tampon de duplication   S
Tampon de motif   S

Pinceau à cloner

Photoshop

Paint Shop Pro

D'autres outils peuvent également servir à la recomposition de zones d'images, qui font appel au même principe de duplication, mais exploitent les mécanismes du remplissage. Les logiciels d'édition d'images vous permettent par exemple souvent de créer un motif à partir d'une zone de l'image puis de l'utiliser comme remplissage avec l'outil Pot de peinture. Le principal défaut de la technique de remplissage tient toutefois à ce que la zone ainsi prélevée est généralement assez grande et peut malgré cela devoir être répétée dans l'image. Or, plus la surface que vous dupliquez est grande, plus il est facile de déceler l'artifice de repiquage, car deux zones de l'image présenteront des ombres et des nuances qui se feront directement écho.

14.1   Effacer des éléments indésirables d'une image

Il existe deux cas de figure principaux qui vous amèneront à utiliser le Tampon de duplication (Pinceau à cloner) : les zones endommagées (taches, rayures, poussières) qui doivent être recréées et les objets indésirables qui doivent être effacés (auquel cas, il est nécessaire de redessiner l'arrière-plan que l'objet au premier plan venait masquer). La technique est exactement la même dans les deux cas. Nous allons donc considérer l'exemple d'un élément d'image à effacer.

La photographie présentée en haut dans la page de droite possède un gros défaut : le charme pittoresque des habitations dont elle a fait le principal sujet de la scène est gâché par la traînée gênante de longs câbles électriques. Si les fils auraient pu s'intégrer dans le décor avec un autre angle de vue, leur présence au tout premier plan s'avère dans ce cas plus qu'irritante. Nous allons donc les effacer de l'image.

Avant

Après

A quelques manipulations près, toute l'opération de retouche que nous avons réalisée sur cette image a été effectuée avec le Pinceau à cloner (ce travail a été réalisé avec Paint Shop Pro, mais le fonctionnement est exactement le même pour le Tampon de duplication de Photoshop). Le principe de cet outil est très simple : vous spécifiez un point dans l'image où seront prélevés les pixels à copier, puis vous peignez dans une autre zone. Paint Shop Pro et Photoshop signalent au moyen d'une croix l'endroit de l'image où sont prélevés les pixels pendant que vous peignez. Votre pinceau et la croix se déplacent donc parallèlement dans l'image.

Pour effectuer ce genre de tâche, vous devez agrandir la vue de l'image afin de travailler précisément en traitant une par une des zones réduites de l'image.

Pour commencer, vous devez définir un point source depuis lequel vous prélèverez les pixels que vous allez copier. Dans Paint Shop Pro, vous définissez ce point en cliquant avec le bouton droit de la souris. Dans Photoshop, vous devez appuyer sur la touche Alt pour faire apparaître le curseur de cible (⊕) et cliquer avec la cible dans l'image.

Comme nous l'avons indiqué dans le précédent chapitre, le paramétrage du pinceau que vous utilisez est particulièrement important pour ces travaux de retouches précises. Vous devrez notamment ajuster la taille du pinceau de manière à limiter le plus possible votre intervention en évitant de repeindre les zones de l'image qui n'ont pas besoin d'être traitées. Un pinceau adouci permettra également de créer des retouches mieux camouflées.

Comme le montre l'image à droite ci-contre, nous reconstituons par-dessus le trait du fil le motif de la pierre des zones avoisinantes. La retouche se fait rapidement et facilement.

Le pinceau peint
cette zone...

...en prélevant le
motif situé sous la
croix.

Le but est de suivre la logique des textures de l'image. Pour le travail sur notre image, nous n'avons pas cherché à cloner une ligne parallèle à celle des câbles. Au lieu de cela, nous avons tenté chaque fois de reproduire la texture des pans de murs correspondants, en suivant les arcs de cercles dessinés par les murs des bâtiments. Pour cela, vous devez répétitivement redéfinir le point source afin de déplacer continuellement la zone repiquée.

La principale erreur à éviter avec cet outil est de cloner une zone déjà dupliquée en repassant avec le point source sur la zone qui vient d'être peinte, comme le montre l'exemple ci-dessous.

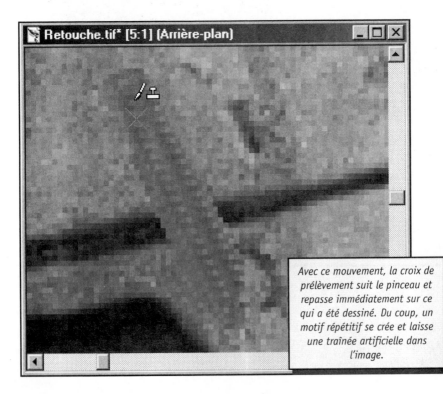

Avec ce mouvement, la croix de prélèvement suit le pinceau et repasse immédiatement sur ce qui a été dessiné. Du coup, un motif répétitif se crée et laisse une traînée artificielle dans l'image.

Pour éviter ce problème, vous devez positionner votre point source de manière à ce que votre mouvement ne l'amène pas à repasser sur la zone peinte avec le pinceau. La droite définie par votre point source et le premier point sur lequel vous peignez ne doit pas correspondre à la direction de votre mouvement.

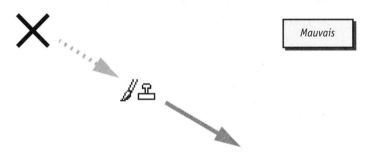

Au lieu de cela, le mouvement du point source et de votre pinceau doit être parallèle, afin que leurs tracés ne se recouvrent jamais.

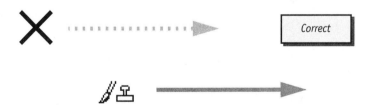

En suivant ces règles et en respectant les caractéristiques naturelles des éléments de l'image que vous recomposez, vous parviendrez à réaliser des retouches entièrement invisibles. Lorsque le travail est terminé, il ne doit exister aucun artefact dans l'image qui permette de repérer que l'image a été travaillée. Le plus souvent, le Tampon de duplication ou le Pinceau à cloner vous auront permis d'y parvenir. Dans le cas où votre intervention aura été compliquée par les enchevêtrements d'objets qui restreignent la surface des zones à recopier, il se peut que vous ayez laissé quelques lignes un peu marquées qui se remarquent dans l'image. Dans ce cas, vous recourrez à des techniques de fondu pour estomper les effets de votre intervention.

Chapitre 15

Techniques de fondu

L'autre catégorie de techniques auxquelles vous ferez appel pour réparer ou modifier le contenu de vos images consiste non plus à dupliquer des pixels de l'image, mais à les « diluer » les uns avec les autres, afin d'estomper des détails ou d'étendre des surfaces colorées.

L'outil principal auquel on fait appel pour ce genre d'opérations est l'outil Doigt (Photoshop et Photoshop Elements), dont Paint Shop Pro offre sa version grâce au mode Barbouiller de son outil Retoucher. Lorsque vous cliquez dans une image avec l'outil Doigt et que vous le faites glisser, les couleurs des pixels sur lesquels vous avez cliqué sont étalées le long de la surface que vous parcourez.

Le grand intérêt de cet outil tient à ce que l'effet obtenu est celui d'un fondu : la zone dont vous étalez les pixels vient se mélanger à celle que vous recouvrez par un effet graduel.

15.1 Adoucissements de contours

Le type de travail pour lequel on fait le plus fréquemment appel à l'outil Doigt est celui de l'adoucissement de contours.

Concrètement, cela fait référence à toute opération qui nécessite d'estomper le tranchant d'une ligne ou d'un relief. Lorsque deux zones de couleurs opposées ou contrastées se rejoignent, elles laissent souvent apparaître une ligne de démarcation nette à leur frontière. C'est exactement l'effet qu'on obtient lorsque l'on recopie un motif mal choisi (éventuellement parce que le choix n'est justement pas possible) avec le Tampon de duplication : la différence des teintes entre le motif existant et le motif copié dessus laisse apparaître des ruptures de tons très marquées qui tracent des lignes dans l'image.

La technique de barbouillage de l'outil Doigt permet souvent de faire disparaître ces artefacts. L'outil Doigt est donc fréquemment utilisé après les opérations de retouche, afin de masquer les traces artificielles qui trahissent une intervention manuelle.

Dans l'exemple présenté dans la page de droite, nous avons utilisé l'outil Doigt pour adoucir le contour d'une sélection non progressive. La technique de retouche consiste soit à glisser le long de la ligne à estomper, soit à pousser par petites touches, dans un sens puis dans l'autre, les deux zones qui doivent se rejoindre graduellement.

attention

L'effet de fondu constitue l'intérêt de cet outil, mais également son défaut. Lorsque vous l'utiliserez sur des zones texturées, par exemple pour effacer les marques d'une opération de retouche, vous mélangerez les couleurs en laissant à la zone un aspect lisse qui peut détoner avec l'aspect granulé des éléments environnants. Ce problème se pose tout particulièrement avec les images scannées, qui possèdent presque toujours un fond légèrement tramé. Surveillez donc toujours l'effet que vous obtenez en observant la vue à taille réelle de votre image.

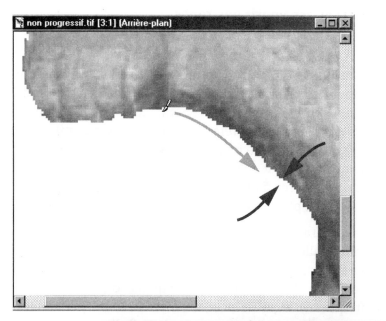

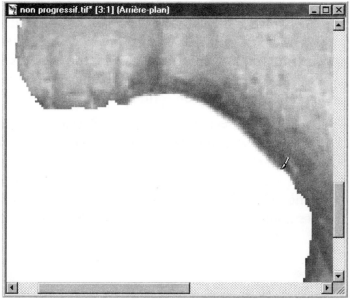

15.2 Eclaircir et assombrir des zones

Un certain nombre d'autres outils vous permettent d'altérer des portions de vos images sans faire apparaître les limites de votre zone d'intervention. En général, la qualité du fondu dépendra du degré de netteté de l'outil que vous utilisez (à savoir si vous avez utilisé un pinceau aux bords nets ou adoucis) et du niveau d'opacité qui définit l'intensité du traitement. Plus vous chercherez à modifier rapidement les pixels (niveau d'opacité élevé), plus l'effet de fondu sera difficile à produire.

Parmi les opérations de fondu les plus courantes, on peut encore citer celles qui consistent à éclaircir ou assombrir des zones. Ces techniques sont utilisées notamment pour améliorer le réalisme d'une scène dans laquelle on a intégré un élément qui n'y figurait pas au départ. Pour qu'un objet s'insère naturellement dans un paysage, il doit en respecter l'éclairage général. Si le paysage est baigné d'une lumière qui provient de la droite, l'objet ajouté devra l'être de la même manière. Malheureusement, bien souvent, l'éclairage de la scène dont on a extrait l'objet déplacé ne correspond pas à celui de l'image où on souhaite le placer.

Dans ces cas, la technique la plus classique consiste à éclaircir et assombrir manuellement les différents zones de l'objet afin de recréer l'éclairage recherché. Deux outils incontournables sont utilisés pour cela : l'outil Densité - et l'outil Densité + (Photoshop et Photoshop Elements). Paint Shop Pro propose les modes Eclaircir et Assombrir de l'outil Retoucher.

 Densité -   Densité +   Retoucher

L'exemple de ce livre pour lequel nous avons évoqué l'utilité de cette technique de reconstitution de l'éclairage est celui de l'ange que nous avons placé sur un arbre (page 146) dans un paysage éclairé par une lumière rase venant de la droite.

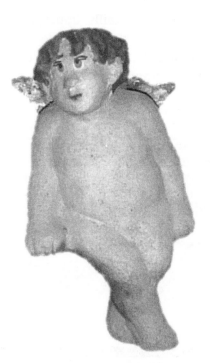

Pour recréer l'éclairage souhaité, la technique consiste à brosser la surface de l'objet en utilisant les outils Densité + et Densité - avec un faible niveau d'opacité. L'outil Densité - permet d'éclaircir les pixels de l'image et l'outil Densité + les assombrit. Dans Paint Shop Pro, il est nécessaire de configurer les options de l'outil Retoucher.

Si l'éclairage vient de la droite, on cherchera à éclaircir toutes
les parties de l'objet qui présentent une surface directement
orientée dans ce sens. Dans le cas de notre ange, il s'agira du
bord extérieur du bras gauche de l'ange, de sa joue gauche, du
rebond de son ventre du côté gauche et de son genou droit qui
s'avance au premier plan.

Après avoir défini une taille appropriée (grand format de
pinceau, pour peindre des effets de lumière diffuse) et un
faible niveau d'opacité, vous peindrez les zones à éclaircir en
repassant un plus grand nombre de fois sur celles qui doivent
particulièrement capter la lumière.

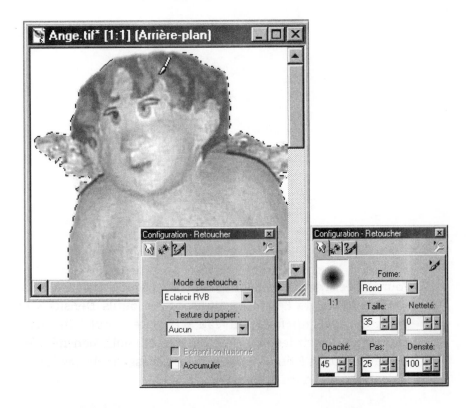

Cette technique permet également de modifier les formes des objets, en suggérant des reliefs et des rondeurs qu'ils ne possédaient pas au départ.

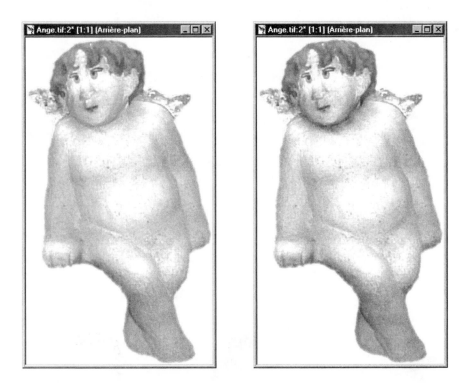

Dans la page suivante, nous avons présenté plusieurs exemples de modification de l'éclairage appliqué à notre ange. Comme vous pouvez le voir, les possibilités sont quasiment illimitées. En fin de compte, la qualité de l'effet que vous obtiendrez dépendra de la patience dont vous ferez preuve : plus le niveau d'opacité que vous choisirez sera faible, plus vous parviendrez à créer des nuances subtiles et discrètes.

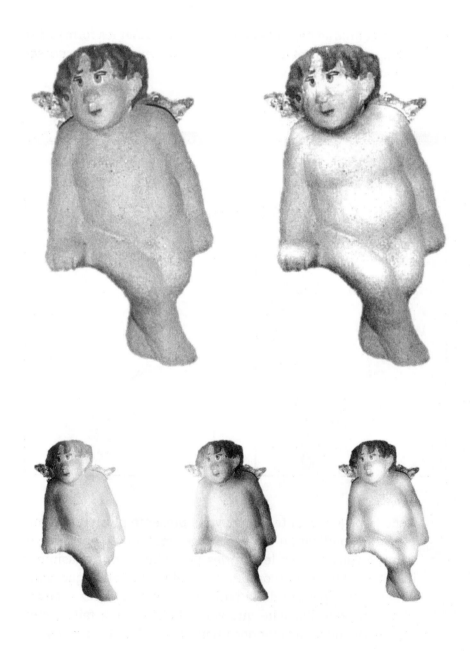

Index